クラブ白粉

陳柔縉／著

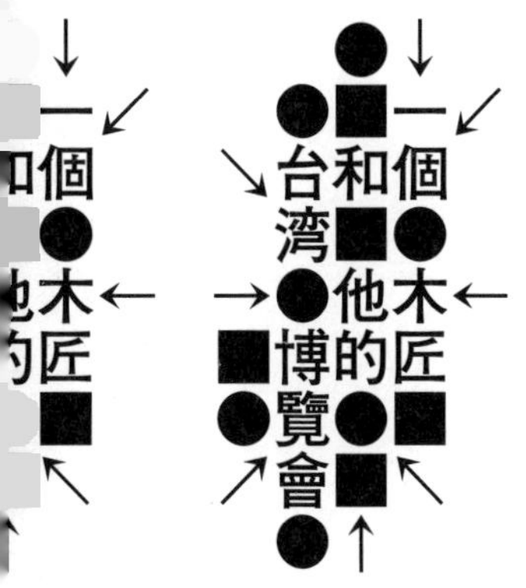

麥田出版社

一個木匠
和他的
台灣博覽會

會在博覽會五十天會期中，遊走市街，蓋出三百個章。

更難想像，歷經時代變換，薄薄的紙製本子可以挺過八十年，而未經水害、日曬、人為丟失。

沒錯，真的是整整八十年。

據我的朋友劉伯姬說，兩年前那一晚在她的辦公室，幾個編輯一起為一本書挑燈趕工，她督軍坐陣，但插不上手，就閒閒瀏覽朋友的臉書。老同事楊弘熙剛放上幾張黑白照，只說是家裡翻出幾張老相片，其他沒多講什麼。其中一張，伯姬覺得有點眼熟，就Line給我，「你看看這是什麼?」

我當下一驚，我寫的《宮前町九十番地》一書就有相同照片。我趕快回覆伯姬，請她翻看一下那本書某頁的附照，男女老少一群人郊遊，去新店溪搭屋形船。更迫不及待，問她是誰擁有這張照片，我要去拜訪。這本《一個木匠和他的台灣博覽會》就這樣孕生了。

我到淡水河邊的楊家，弘熙的爸爸楊穎川先生年近八十，童顏鶴髮，潔淨不苟，有日本老先生的氣質。他拿出父親遺留的舊物，我看到許多和《宮前町九十番地》傳主張超英家藏相同的老照片。原來，那些相片上角落的那個人是楊弘熙的阿公楊雲源；原來，他是一位家具木匠，日本時代領有木工執照。

我和楊爸爸也聊到張超英、楊雲源兩人之間的交集人物「張鴻圖」，他受香港英語教育，是戰前美商標準石油公司的台灣支配人（總經理）。一九三六年，張鴻圖娶香港媳婦，楊雲源保留了那場豪門婚禮的喜帖。毫無褪色，品項完好，已經不足以得

↙
大約是一九三八到一九三九年間，
楊雲源跟著台北上流圈的「家庭會」到新店溪搭屋形船郊遊。
照片前方正中站著、右手扶欄杆的是台北大煤商張聰明，
他身旁戴眼鏡、穿短褲的張鴻圖
為美商標準石油公司的台灣支配人（總經理）。
兩位張先生旁邊地上坐了三位西裝男士，最後面一位就是楊雲源。

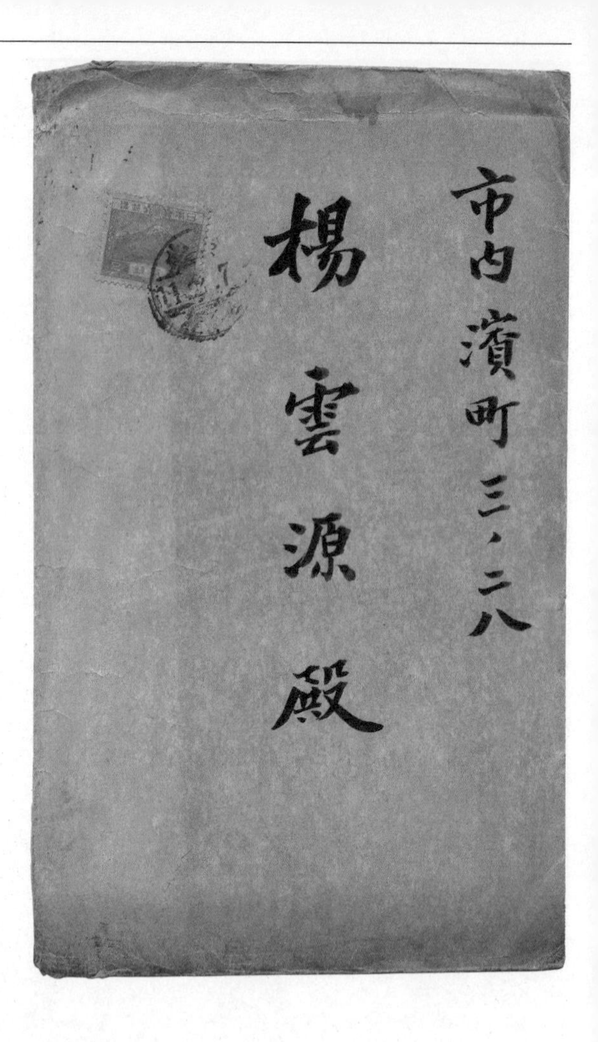

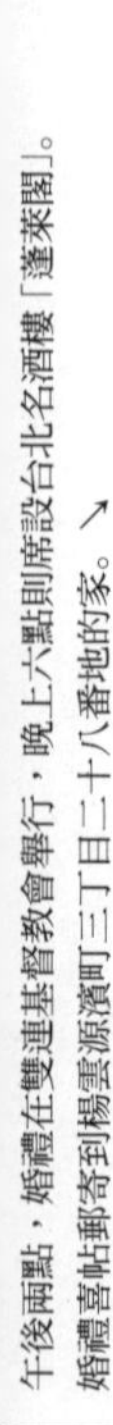
午後兩點，婚禮在雙連基督教會舉行，晚上六點則席設台北名酒樓「蓬萊閣」。
婚禮喜帖郵寄到楊雲源濱町三丁目二十八番地的家。↗

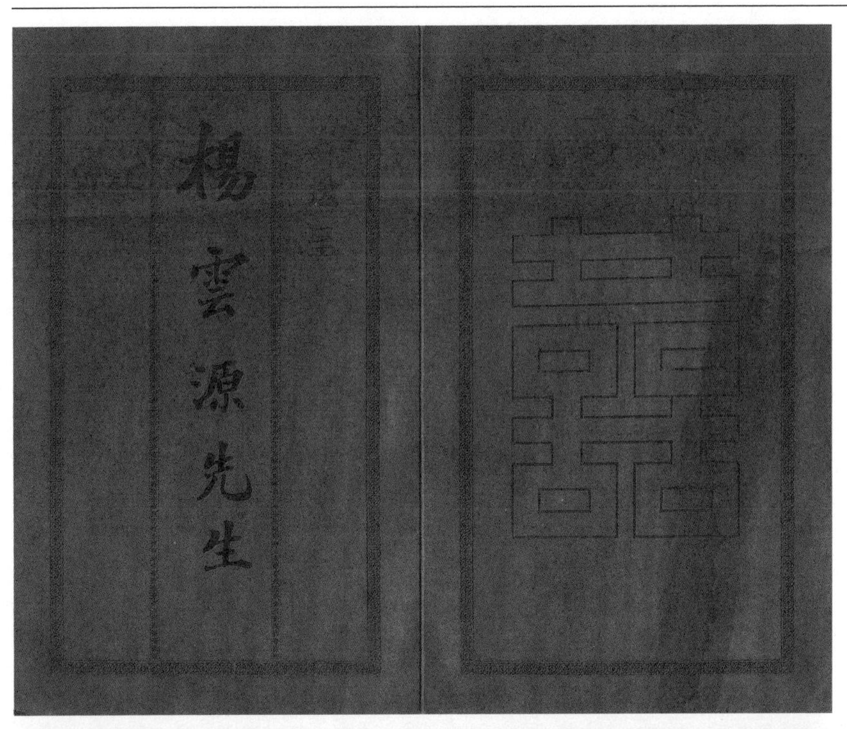

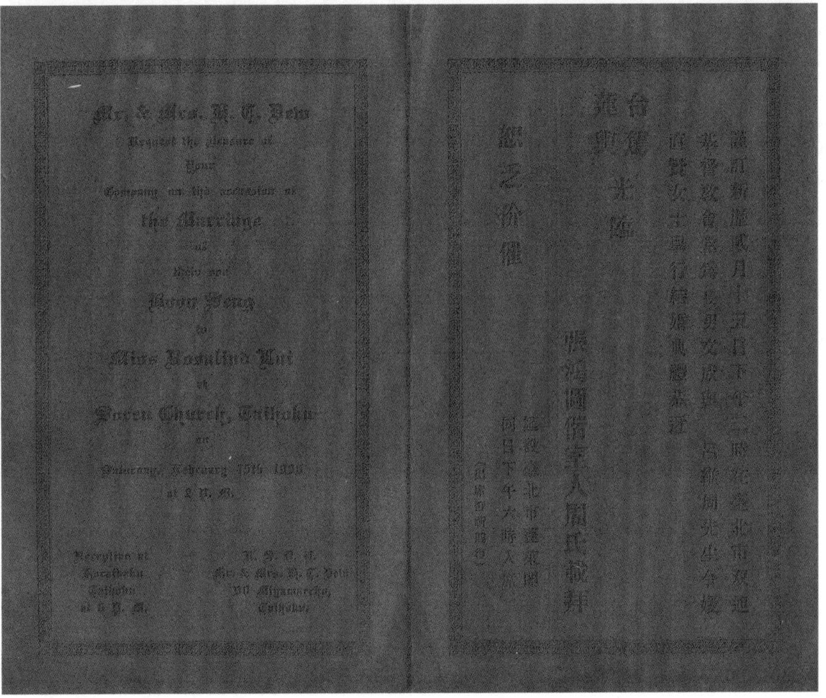

喜帖大紅，保留台灣味，但白色信封則是西洋情調，喜帖內也中英文對照。英文部分可以看到新娘有個洋名 Rosalina（羅莎莉娜），

到我更多讚嘆了，喜帖英文、漢文並陳，才是稀有珍貴。

楊家保存的文物帶給我的驚喜還沒結束。已逝的楊雲源在他三十二歲那一年，遇上一九三五年的台灣博覽會。盛年遇盛會，他收藏了好多博覽會相關的繪葉書、地圖、廣告小冊。翻著翻著，大約一個虎口高的收藏已見底。最底下壓著一本筆記本，封面泡過時光的染液，略顯暗沉，一翻開，內中卻是頁頁五顏六彩。筆記本的每一頁都布滿紀念章，形狀各種，有微笑的獵犬、古典的腳踏車、可愛的油畫顏料軟管。顏色也繽紛，甚至有很現代感的桃紅、Tiffany綠。

博覽會官方製作了許多展館的紀念章，但眼前的筆記本所蓋的，民間商店自製的博覽會紀念章才是更大宗。我瞄到熟悉的台灣人店家，蓬萊閣、寶香齋、阿波羅寫真館、羅訪梅、北投溫泉旅館「沂水園」，也看到熟悉的城內日本人商店，小塚、光食堂、攝津館、日之丸館。以我對日本時代了解的程度來看，當下，我對筆記本做了「絕無僅有」的判斷。很難想像當年有一個紀念章愛藏家，會在博覽會五十天會期中，遊走市街，蓋出三百個章。更難想挺過八十年，而未經水害、日曝、人為丟失。

沒錯，真的是整整八十年。那一天前往楊家拜訪是二〇一五年十二月五日，距離一九三五年十一月二十八日博覽會落幕，剛好滿八十年又一週。

命運之神把任務信摺成紙飛機，從天上射出，迴旋、轉彎、降落、搖曳，最後停歇在我的手上。既已打開，唯有鞠躬，敬謹奉收，努力以赴了。

不過，一開始，我有點大意。《廣告表示》剛出版沒幾個月，六百多頁的「大」書才脫手，我抱著寫「小」書的心態，準備幫每個紀念章側寫個簡介，讓讀者一邊欣賞紀念章，一邊可以了解店家性質和所在位置。然而，真的開工後，才發覺一切在預料之外。待解之謎的隊伍不停加長，彷彿風中掃落葉，埋頭一直掃，枯葉仍不斷被風送下來。

許多店家不知道在哪裡，地圖找不到，工商名錄沒資料。許多章連店名也沒有，不知道何所屬。有紀念章寫古老的草書日文假名，一時難解。有些章以為永遠找不到答案了，挪往「無解」的章節，忽然有新發現，又必須調換位置，如此改動章節

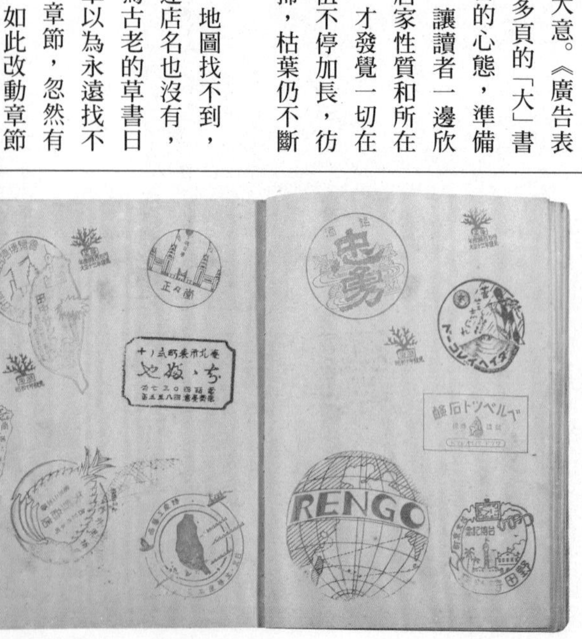

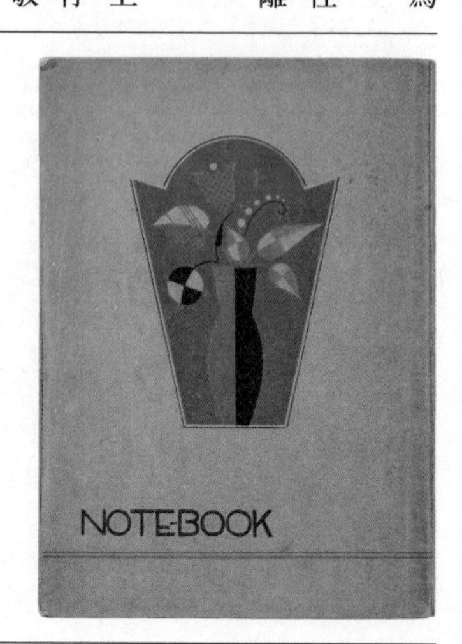

時代地籍圖，以及國立台灣圖書館建置的各種數位書刊陸續來助，問號數量逐一下降。

大約研究了一整年，紀念章的全貌才浮現。博覽會展場紀念章只佔六分之一，其他都來自民間。楊雲源主要走過今天台北城內的重慶南路、衡陽路、博愛路和大稻埕的延平北路一、二段。西門紅樓周邊踏訪了不少商家，北投、陽明山的溫泉區也去了。中山北路蜻蜓點水，東門、南門、萬華則未到。雖不是全台北走透透、蓋光光，商店章數也累積超過兩百。可以想見，必然還有很多楊雲源未蓋得的商家紀念章，而當年台北民間紀念章之盛，也不待多言了。

過去對於日本時代紀念章的概念，局限在交通事業上，多半只知有郵戳紀念章、鐵道車站紀念章和名勝旅遊紀念章。楊雲源紀念章筆記本的出土，將改寫這個認識；商店紀念章異常繁榮，連西裝店、雞蛋批發商都風華與會。

楊雲源另外收藏了一枚實體的台博紀念章，而且還是來自台北地標型名店「菊元」百貨。印章表面的橡皮已經脆化，但是手工推刀的雕痕清晰依舊。紀念章的工藝表

趣的讀者，不妨先翻看第二四六頁大稻埕霞海城隍廟參拜紀念章裡，漫畫般的七爺八爺，表情生動有趣，不禁讓人回頭要問，真是三〇年代的作品嗎？設計力已經達到這樣的程度了嗎？

看著琳琅滿目的紀念章，我自己則最想以此為翼，飛返日本時代，不僅只呈現商店的面容，還要繼續講那些始終講不完的故事。泰國皇族來台灣當小留學生，菲律賓的好手來東門游泳池做跨國友誼賽，北投溫泉旅館的女將到市區找小三尋仇，每個故事都足以反映日治台灣的時代相。有一枚紀念章來自槍砲店，更機不可失，正好可以講講平地打獵，那可是日本時代一項仕紳休閒。

期盼這本書能帶給讀者多層次的愉悅。可欣賞圖案之美、工藝之心，可一窺當年的觀光行銷與商業的手法。瀏覽大量的街景和商店內外的舊照片，彷彿置身虛擬實境，在三〇年代的台北逛街。也能從故事裡，再次感受日本時代的風土人情，以及這片土地的厚度與豐沃。

本書完成，衷心感謝麥田出版社的支持，投注最高的熱情，力求完美。也因求好心切，設計與編輯的時程放長，非常

→
封面印著英文字 NOTEBOOK 的筆記本，
似乎無題，然而一翻開，續紛多彩，
有七十幾頁蓋滿紀念章，
原來是一本台灣博覽會當時的集印帖。

感謝。

更要感謝楊穎川歐吉桑和楊弘熙，感謝他們的敬祖懷遠之心，珍藏楊家阿公的遺物，並有歷史意識，願意無私公開。

最後，再次對著舊照片上的楊雲源老先生說謝謝。如果他還活著，現在已經虛歲一百一十六了。謝謝他八十年前活力無限，在台北、基隆到處蓋章，並且珍藏到人生的最後，今天，我們才有機會一睹當年紀念章之盛，也讓我們可以在睜大眼睛欣賞每一枚章的細節時，屢屢從心底不禁讚嘆，台灣有這樣的古文物，美哉！ *

六歲的兒子名叫楊雲源，就是本書的主人翁，
他是日本時代領有執照的木匠，一輩子只賺洋人的錢，
戰後還教過美國駐台大使做木工。

誰蓋了這些章？

大約一九〇八年，離新竹關西兩、三公里處，有個叫下南片的小地方，一個叫楊來發的客家人，帶著虛歲六歲的兒子，暫別妻子，準備去台北謀差事。

那時候，台灣已經被日本統治十幾年了，幾位上流男士開始學著剪掉清國人的辮子，但絕大多數還保持原狀。兩、三年後，剪辮的狂潮才襲來。楊來發會木工，修製家具，只是普通人家，他應該還留著長長的髮辮。

離鄉到台北奮鬥的那一天，楊來發和兒子從下南片出發往西，沒有奢侈餘錢坐轎子，只有雙腿可靠。走了一整天，才到竹北。從竹北就有火車通往台北了。火車冒著黑煙，搭配著噗噗的汽笛聲，可是貼地飛快的移動巨人。那時候沒有環保不環保的問題，望著火車，每個人只有敬畏與讚嘆。

沿途越過鳳山溪、大嵙崁溪（今大漢溪），火車穿入像西螺大橋一樣的鐵橋，一個接連一個，彷彿時空的隧道。等楊家父子到了台北，他們真的穿越了時空，來到異境，舉目四望，那是一個金髮藍眼的洋人世界。

楊家第一個接觸到的洋人在英國領事館，據說楊來發去那裡幫忙修理了家具。關於他的故事，僅止於此，家族能傳的已如薄散的雲。

家庭會クリスマス祝會記念
昭和十一年十二月二十三日夕

九三六年十二月二十三日，台北上流基督徒組成的家庭會，舉辦聖誕節慶祝會。
片中，前排坐者最左戴眼鏡的是張鴻圖，楊雲源就站在他的後面，
排坐著的大人中，唯一穿和服的女士林雙隨是台灣第一位醫學博士杜聰明的太太，出身台中霧峰豪族林家。
身旁抱著小孩的男士是日本籍牧師原忠雄。

↗
一九三六年，張鴻圖、周慈玉夫婦（緊鄰新郎一側）的長子結婚，
新郎新娘穿著最時髦的西洋禮服，連兩位花童都穿蕾絲長裙。
百來位賓客中，洋人有二十位。楊雲源也收到喜帖受邀觀禮。
結婚紀念照中，楊雲源站在最後方、露出一個頭而已。

〇年代後期，楊雲源（右二）和張鴻圖（右一）等朋友去郊遊。
人都穿西裝搭短褲，張鴻圖另穿長襪，拉到小腿肚上還有反折，
歷史照片中極為少見，非當時一般日本人或台灣士紳會有的裝扮。
北穿著，應該跟張鴻圖留學香港英文學校，又擔任美商在台的總經理有關。
本時代，家庭私有相機不普遍，
照片中，張鴻圖和另一位叼菸的朋友都手握一台，
加上拍下這張照片的第三台相機，上流的休閒生活硬是不普通。

↑
楊雲源（左）和張鴻圖（右）海邊留影，
笑容滿盈，趴在沙攤上，
姿態與表情都與日治時期人物正經排排坐或排排站拍照不一樣。

源（左一）與朋友去泡溫泉。
米上，左起第二位叫陳水田，原為食料品批發商，
樂町三丁目（今迪化街一段城隍廟附近）開設「五星商會」，
承接蓬萊閣大酒樓，銳意經營，興隆一時。

源（左）與陳水田（中）交好，
片中，除了一起到溫泉旅宿享受休閒時光，也有勾手臂的合照。

六歲的兒子名叫雲源，就是本書的主人翁，一九三五年台灣博覽會期間，他到會場蓋紀念章，也散步市街，蓋了三百多個商店紀念章，是目前絕無僅有的戳章珍品。

楊雲源跟隨父親落腳在今天漢口街二段一帶，緊鄰淡水河。日治中期以後，那裡改稱濱町。河邊帆船點點，載來福州杉木，町內四處可見木材店。最具代表的木材商叫老成發，洪、吳兩姓的老闆聯手把事業做大，店面三處，分稱上行、中行、下行。一九三〇年的報紙還說，濱町盛行編製草繩的副業，供應給市內的貨運店、肥料會社和士林製紙會社。

不過，從一〇到三〇年代，町內的發展似乎都跟楊雲源無關。周邊盡是福佬人，只有兩戶客家人，楊雲源小時候沒有入學，出外往往要被講閩南話的小孩欺負，他害怕得不敢出門。從童年到成年，他就是老老實實跟著父親學木工，做家具，也跟著逐漸靠近台北洋人圈。

一百多年前的台北洋人，不外分布於商、教、醫、宗教、政治等領域。像是大稻埕有八家洋行，英美商各半，多數做茶葉出口生意，也進口石油、水泥等各式

外，台北的學校開始零星招聘歐美籍教師教授英文，譬如一九〇九年，總督府中學校就有一位名叫法蘭克的美國教師。一九〇〇年，洋行買辦生病，感染了天花，就請來一位英國籍的醫生。

台北洋公司中，有一家叫「三達石油」，亦即美國標準石油公司。最初由台北茶商巨富李春生總代理。據楊雲源的長子楊穎川說，母親告訴他，李春生的孫子李延澤對父親幫助很大，引介認識許多洋人和本地士紳。

一九一〇年代，三達石油新進一位職員，名叫張鴻圖，台南安平人，他的父親張金聲是安平區長，阿姨則嫁給蘇格蘭人，富裕又對海外有認識，張鴻圖留學香港的拔萃學校，成了百年前台灣少見的英語人。

張鴻圖家族的英語體質，重重結織了台灣其他說英文的家族與人物，親朋關係與事業關係交錯，形成緊密的人際網絡。他的醫生弟弟張壬癸就娶了洋行買辦林耀宗的女兒，林耀宗另一位女兒嫁屏東李家。一九二〇年代，李家子弟李昆玉取得紐約哥倫比亞大學銀行碩士返台。李家又有女兒嫁給張鴻圖太太的外甥。李家另一位親

堡一般的豪邸，也和張鴻圖同為香港拔萃的校友。後來，三達石油的台灣總代理換給黃東茂，張鴻圖便晉升為三達的支配人。

三〇年代，當楊雲源三十來歲，張鴻圖成為他最親近的上流圈朋友。在楊家保存的老相片裡，八、九成來自張鴻圖家族。張鴻圖是基督徒，太太周慈玉更是牧師之女，他們在台北宮前町組織了基督徒的「家庭會」，之後再創立「台北第二組合基督教會」。會員除了留美的李昆玉，劉清風一九二六年獲得美國醫學博士學位，呂阿昌是萬華的醫生，李瑞漢、施炳訓是律師，再加上大煤商張聰明，以家庭會為基底的第二組合教會因此被稱為貴族教會。

楊雲源也是會員之一，掛名擔任教會的「庶務」，卻從來不是基督徒。教會舉辦聖誕節活動，拍紀念照時，一大群小孩子排排坐在前方，大人圍繞著他們，楊雲源也入鏡，但是，他站在邊邊上。

一九三六年，張鴻圖的長子娶香港小姐，在禮拜堂舉行婚禮。新郎新娘穿著最時髦的西洋禮服，連兩位花童都穿蕾絲長裙。百來位賓客中，洋人有二十位。楊雲源也受邀觀禮。婚禮結束，大家在教堂門出一個頭而已。

楊雲源九十三歲高齡過世，一九三六年那一場上流婚禮的請帖，照片，他珍藏了六十年，大紅喜帖依然光彩耀眼，見證他對張鴻圖家族情誼的珍重之情。

楊雲源未受正式教育，張鴻圖夫婦大他十幾歲，他們曾教他看報、剪報紙。當組合教會到郊外出遊，楊雲源也會跟張鴻圖一樣，穿著洋人才會穿的短褲。也穿著背心式連身泳衣，跟隨張鴻圖去海邊游泳。張鴻圖與朋友泡完溫泉，穿浴衣，眾人一起坐榻榻米上舉杯，裡頭也有楊雲源。

從照片上看，楊雲源完全融入上流生活，與富貴階層無異，不似想像中勞苦的木工。台北永樂町五星商會的大老闆陳水田，後來承接經營大酒樓蓬萊閣，也是楊雲源的好朋友，他們有穿浴衣的合照，也有和另一位朋友三人合影，陳水田居中，伸手左右勾臂兩人，非一般所見的商場關係。

事實上，陳水田是楊雲源子女口中的「水田伯」，大家都知道水田伯最愛吃雞屁股，宴席上，常會一口吃下雞屁股，還開玩笑說：「咦！雞屁股到哪裡去了!?誰夾走我的雞屁股!?」

↙
楊雲源（右二）未面對鏡頭，只見側面，
與眾人穿著日本浴衣在榻榻米上一起歡暢舉杯。
張鴻圖（中間戴眼鏡者）似乎是主人。
照片中最左的年輕英俊男士叫李昆玉，出身屏東豪族，
二〇年代留學美國，獲哥倫比亞大學銀行碩士學位。
三〇年代，李昆玉在台北經營李仲義商行，代理外國油品買賣。

*

源（右）拜訪李延澤（左）。
雲源家屬指出，李延澤介紹許多上流台灣人和英美人士給楊雲源，
有機會透過承攬木工等業務，接觸到不同的生活文化。
澤為台北知名茶商李春生的三子李添盛的兒子，
生另一位孫子李延禧為台灣第一位留美學生。
中單純的沙發一物，即是上層階級的特徵。
二一年，上海舉辦遠東運動會，
派出四位選手，台灣人和日本人各二，
澤正是兩位台灣籍選手之一，他參加了百米短跑和跳遠兩項競賽。

↗
如果上網搜尋一九二〇和三〇年代的高爾夫球裝，
就會看到如照片中的張鴻圖（左一）裝扮。
當時最時髦、最典型的全副高爾夫球裝，剛好是照片中三人的合集；
如右邊第三人的鴨舌帽，如張鴻圖的襯衫、領帶、寬垮過膝的長褲，
再如最右一人的皮鞋加蘇格蘭菱形格子襪（Argyle socks）。
到現在，打高爾夫球衣搭配菱形格圖案背心還是很經典。
雖然如此，張鴻圖手上所持的是拐杖，倒非球桿，
他和楊雲源（左三）一行人這一趟休閒之旅可能也不是打高爾夫。

置身日治時期的上流圈，楊雲源本職仍是木工，但他未做台灣朋友或台灣人的生意。他的兒子楊穎川說，「我爸爸從來沒有賺過我們本國人的錢」。終其一生，都在做洋人生意。

一九四五年，二次世界大戰結束，美國重返台灣，戰前的台北英語圈再次活躍。像是台北領事館新任的副領事George H. Kerr（葛超智），戰前曾在台北高校、台北高商任教，再次來台，教師變外交官，就租張鴻圖的房子住。落腳北門邊的美國大使館，舊址末廣町五丁目七番地，據楊穎川指出，也是黃東茂家族的舊房子。比對一九三六年出版的《台北市商工人名錄》，末廣町五丁目七番地為振成興產株式會社，代表人黃在榮，正是黃東茂的兒子。

戰後之初，楊雲源隨著英語圈的復活，新工作機會如將滾的開水，透明泡泡一個一個從水底湧現；他開始承包美國外交官的房舍修繕、搬家等相關業務。

那時候，台北遍地都是日式宿舍，美國人人高馬大，一進日本房子，常會撞到樑。拖鞋登上榻榻米，也讓美國人不習慣，這些結構性問題都需要改造。楊穎川說，「老外比較怪，他們喜歡客廳漆一個房子改修的包工，創設雲成營造廠，統籌房屋修繕工程所需的十來種工人。他自己只做家具，這部分則另外借用德記洋行一樓的走廊，充當家具工場，設立雲成商號。

後來，有營建商看準美國人需要房舍，大舉興築有煙窗、庭園的洋房，楊雲源的生意逐漸清淡。但是，使館人員離任、到任不斷，他們需要搬離、需要入住，又找上楊雲源，而且一個報一個，所以，他和兒子楊穎川承攬打包、運送，變身國際搬運公司。美國駐台機構每個月有印發一本人事異動的通訊錄，為了方便，也給楊雲源一本，宛如美方一員。

一九四七年，二二八事件爆發，平民出外，常遭盤查，危險叢生。美國領事館發給楊雲源一張通行證，這是絕佳的護身符，也壯大了助人的力量。領事館內有許多中國臉孔的職員，他們隨美國駐華領事館撤退來台，不會說台語，害怕到街上會被圍堵，甚至被追打，只好躲在大使館。楊雲源就憑著通行證，幫忙送米、送菜過去。

楊穎川說，爸爸正派、不多話，人緣好。一九五〇年來台灣擔任美國駐台公使之餘，會找小他五歲的楊雲源去陽明山的官邸教做木工。藍欽跟著台灣人的稱呼習慣，叫楊雲源「Yo San」，這是「楊先生」的日文版念法。藍欽離台轉任南斯拉夫大使，他太太寫信給楊雲源，開頭依然親切寫著「Dear Yo San」。

預料旅程如此演繹，自己竟然有一個如此「洋派」的人生。

不過，這個洋派人生藏了一個有點戲劇性的小祕密。跟洋人往來幾十年，楊雲源其實不太會講英文；長子楊穎川說，「他只會一些單字！」

＊

↗
日本人習慣在大門口裝貼名牌，上寫自家姓氏或全名。
日治時期，此風移植台灣，照片中右邊的門柱就寫著「張鴻圖」。
張鴻圖（中）的洋樓宅邸位於台北市宮前町九十番地，
即今中山北路二段與錦西街口北側，台灣水泥公司與之面對面。
電腦下放大查看，「張鴻圖」三字左右顛倒，底片可能洗錯面了。
楊雲源（右）實則應該站在相片的左邊。

除了台灣，全世界只有日本，
可以隨處遇見旅行紀念章。
台灣紀念章的發展歷史
也必須追溯到日本統治台灣的時代。

今天的台灣，無處不章。

東北角海岸，草嶺古道口那邊，單單一個大里旅遊中心裡，牆上置了一個台灣的模型，島嶼胸腹隔成二十幾個方格，就放了超過二十枚的旅行紀念章。旅遊地點不說，大眾運輸系統的高鐵、台鐵、捷運，站站有章，往往還不只一個。商家也很有意識，誠品書店、袖珍博物館、金石堂書店，都有細膩的漂亮章。對於紀念章蒐集家來說，台灣真是天堂。保守估計，全台至少有上千個章展開雙臂歡迎青睞。

除了台灣，全世界只有日本，可以隨處遇見旅行紀念章。台灣紀念章的發展歷史

紀念章的日本時代

台北城內的京町大街（今博愛路）上，靠近沅陵街口，有一家叫「以文堂」的印章店，老闆姓松田，他不是每天老老實實窩在店裡埋頭刻章，一九二三年曾經捐了五百株日本櫻花樹苗，種在新高山（今玉山）上。會有此舉是前一年的十一月八日，他登上了新高山。在快四千公尺高的山頂，拿出看家本領，刻了一個「新高山」章，還準備了「印肉」（日文，印泥之意），留下來給後繼者，作為征服玉山的印記。這應該是目前所知台灣最早的旅遊紀念章。

報紙版面的下方少少的五行字，記載了

時，會轉身變成一項創舉。松田老闆純粹以文字表現，抑或雕飾了圖案，完全無線索可追。

四年後，又有來自新高山的紀念章，而且一套四枚，報紙刊出了三個。話說這一年夏天，台北第一高女與第二高女的學生豪情壯志，準備攀登新高山，《臺灣日日新報》也很給力，準備派人去跟拍影片，給這些青春少女鼓勵兼加油。報社還想到一位三十三歲的愛山家，名叫青木繁。

青木繁是森林專家，當時正在高等農林學校擔任助教授，後來還成為台北帝大的教授，他熱愛台灣山林，寫了許多山林隨筆文章，被認為是近代台灣自然書寫的第一人。早在日本時代，青木繁已經深刻發覺台灣山林之勝。他說，台灣面積小，已命名的高山就有四十八座，真可謂高山國。他鼓勵「垂直行走台灣」，而不只是平地旅行，水平領略台灣。

青木繁指出，往返台灣的平地和高山，只需幾天就能從熱帶走到寒帶，以阿里山為例，從平地登至山頂，等於從嘉義走到了樺太（庫頁島）。在青木繁的腦海裡，台灣似乎不再是小島，而是一個很高很高的大自然巨人，左手摸白雲，右手扶七

青木繁熟悉台灣高山，報社就請他繪製新高山的紀念章。青木設計了四款，大同小異，圓圈內，只有簡單的山形，其他均為文字。中間都寫「新高登山」，右邊寫登山路上的各站，像是「內茅埔」、「東埔」、「八通關」。左邊則標上海拔高度。報紙上刊登的三枚看來，最可觀的是三個「山」字，字體都不同，宛如訴說高山變化萬千的本色。

四枚紀念章最後由報社的人帶到新高山上。當女學生歷經千辛萬苦，登上台灣第一高峰，她們摘下一路相陪的斗笠，取下包在斗笠外的白布，蓋上紅紅的青木繁老師設計的紀念章。這一蓋，如同按下快門，而原本反光遮陽的白布，就是相紙了，捕捉了站在巔峰的永恆一刻。

山下，也有文化單位開始運用紀念章。在今天總統府的後方、寶慶路與博愛路口，原來有一棟兩層樓的洋風建築，做為總督府圖書館。館內有兒童室，曾任館長的山中樵會來講故事給小朋友聽。荷蘭時期台灣史的前輩大師曹永和小時也常到這裡借書看書。

一九二五年十月三十日那一天星期五，也是日本的「教育記念日」，總督府圖書館

↗
台灣第一位自然書寫家青木繁設計了四款新高山紀念章，其中三枚印章曾被登在報紙上。

特別刻了紀念章，只有這一天提供蓋章。結果，午後放學，各校學生湧入，蓋了千個紀念戳章。據報載，拿書或拿繪葉書（以圖畫或照片製成的明信片）來，圖書館都會給蓋。

二〇年代零星可見提供造訪者自由戳蓋的紀念印章，一九三〇年代，觀光、旅遊、參觀、參拜等相關紀念章才真正進入大爆發的時代，出遊時，帶著一本「集印帳」，成為一種新流行的興趣。一九三五年的博覽會正是紀念章的盛世，主辦單位大半年前就開始公開有獎徵求大會本身的紀念章設計圖，八百八十六件參選，最後選出三款，都由台北的日本人設計，第三名三浦鑑子還是一名女性，就住在現今熱門的觀光景點東門站那邊。三款各做三百枚，散放在各官府機關、銀行、工場、旅館、俱樂部，讓一般民眾處處撞見博覽會。

《始政四十周年記念臺灣博覽會誌》選錄了展館與會場相關的部分紀念章，共四十枚，本書主人翁楊雲源蓋了其中的十八枚。在正式紀錄看不見的背後，還有更多更多紀念章；整個台北可說有一支紀念章大軍，紮營插旗，駐守各地，為博覽會助集了三百個戳章，正是證明，裡頭的民間商店紀念章數目遠勝過官方。

從以文堂老闆、青木繁到台灣博覽會，大家會推出紀念章，並非出自天外飛來的靈光。二〇年代以前，有一種紀念章的蒐集熱已經燒很久，只是集章方式、本質略有不同。那時的紀念章不是免費押捺，不由民眾自己蓋印，蓋章時間多半為期三天或五天，紀念章都由郵局刻製。到三〇、四〇年代仍有，楊雲源也蒐集了一些。當時專稱這類紀念章為「特殊通信日附印」，就是中文概念的「紀念郵戳」，一般文章會指為「記念スタンプ」。後來的旅遊、觀光等自由戳蓋的紀念章也用「記念スタンプ」，但兩者內涵不同。

日本時代的第一枚紀念郵戳於一九〇二年六月二十日誕生，那時候，日本為慶祝加入萬國郵政聯盟二十五週年，特製了「萬國郵便聯合加盟二十五年祝典」紀念章，二十日起三天之間，戳蓋於郵件上。日本各郵局都有此章，只是會顯示不同郵區，像是台北的戳章就另刻「臺北」。章內對應的外文竟然不是Taipei，而是德文的「Taipeh」，百年回望，更添探究其中歷史的趣味。

源戳蓋的三枚大會紀念章。

ginal Size（原寸） ●↗D（直径）56mm ●↗D（直径）62mm ●↗D（直径）62mm

楊雲源的收藏。
這也是日本時代收藏紀念章的一種方式，
到特定的名勝觀光景點，在當地買一錢半的郵票，
就可以到郵局戳蓋風景名所紀念章。
如果是空白明信片蓋章，就叫「官白」。
↑↑↗

得郵戳有許多規矩要守。以一九一六年台灣勸業共進會來說，兩處會場都設臨時郵局，寄信或寄明信片的人如果想要蓋共進會的紀念郵戳，貼了郵票，只能在會場投郵，不能丟進會場外的郵筒。

紀念郵戳的可印時間往往只有三、五天，對於蒐集狂來說，頗為刺激。一九〇八年，總督府在圓山立了「警察官招魂碑」，八月二十九日這一天要舉行「除幕式」，郵局特別製作了紀念郵戳，在圓山揭幕儀式的現場擺攤設臨時郵局。此章就只能去圓山才蓋得到，單單這一點，已經大大提升稀有度。一般紀念郵戳好歹都有三天蓋印期，此章非常誇張，只限一天。而且，所謂一天，不是白天加晚上飽飽的二十四小時，當天郵局只從上午九點到午後兩點守在那裡。換句話說，想蓋到這枚郵戳，只有上圓山，只有五小時。

總督府的研究單位「中央研究所」裡，工業部無機工業化學科的科長服部武彥熱愛蒐集紀念郵戳，一九三二年曾在《臺灣日日新報》上介紹這項興趣。服部就認為，圓山警察官招魂碑紀念郵戳是「最珍品」。

紀念郵戳一直發展到一九三一年，開始才有資格發行紀念戳章，一九三一年四月一日，日本關東廳的郵便局創新推出旅行紀念章。到特定的名勝觀光景點，只要在當地買一錢半的郵票，貼在白紙、筆記本、明信片都不干涉，就可以到郵局戳蓋風景名所紀念章。此舉大成功，郵局賺到錢，遊客增加旅行趣味，觀光地擴大宣傳。全日本其他郵局快步跟進，台灣也在夏天動起來，請出在台北教美術的畫家鹽月桃甫操刀，踏查全台景點，畫了一百十九幅，提出給遞信部審查。紀念郵戳收藏家服部武彥就是審查委員之一。審查選出首批三十個章，一九三二年元旦，台灣也開始有風景名勝的紀念郵戳了。

不知道是否受到風景紀念章風潮的啟發，福井縣福井驛（火車站）的站長富永貫一也思考如何增添旅客遊興。結果，他在車站洗手間放了三個花器，插上鮮花，另做了福井站的紀念章，把福井著名的布料花紋和藤島神社刻上去，免費供旅客隨意蓋在扇面、集印冊或明信片。一九三一年五月五日，日本第一個車站紀念章於焉問世。旅行刊物《旅》一九三一年六月號報導了福井站紀念章，此後，星火燎原般，日本「駅スタンプ」（鐵道車站紀念章）

期間報紙的幽默漫畫。
鴨舌帽的男人對朋友說：
麼樣，很珍貴的紀念戳章吧！
請那位小姐蓋的！」

台灣再次捲入潮流裡，一九三二年三月，台北、高雄、彰化、屏東、蘇澳、北投等火車站也推出紀念章饗客了。同一年，全台馬上累積快三十個車站紀念章。

三〇年代初期捲起的紀念章狂潮，一波一波推高，一九三五年台灣博覽會來到最高潮，楊雲源的集印簿出土，展示了當年盛況。餐廳、電影院、照相館、書店、文具店、印章店、藥局、菓子店、皮鞋店、布店、咖啡店、旅館、市場、廟宇、神社、溫泉旅宿，全都登場了，紀念章的舞台不再只有郵戳和鐵道。

回頭訪問三〇年代的少年少女，給他們「那時候很流行」。有人還說，她小時也有蒐集，可惜都不知道到哪裡去了。

台博期間，《臺灣日日新報》的漫畫欄推出台博漫畫，有兩幅題為「記念スタンプ」（紀念章），其中一幅，展館內，展場小姐坐在一角，一個男人戴著鴨舌帽，一雙大眼，拿著集印簿，壓低聲音似的，湊過去給朋友看，樂不可支說，「怎麼樣，很珍貴的紀念戳章吧！這是請那位小姐蓋的！」一瞧，原來是一個深深的唇印。

或許這則幽默漫畫正可為台博激盪出的紀念章盛況，留下最具想像力的註腳。

*

東洋製紙所
台灣物產同產
平野商會
台南市本町三丁目
凡例
道路
河川
李仲義商行
臺北市旅館組合員
台南ホテル
御菓子司
大正饅頭
大正堂
蓬莱ホテル
中央製作所
總督府
中央藥局

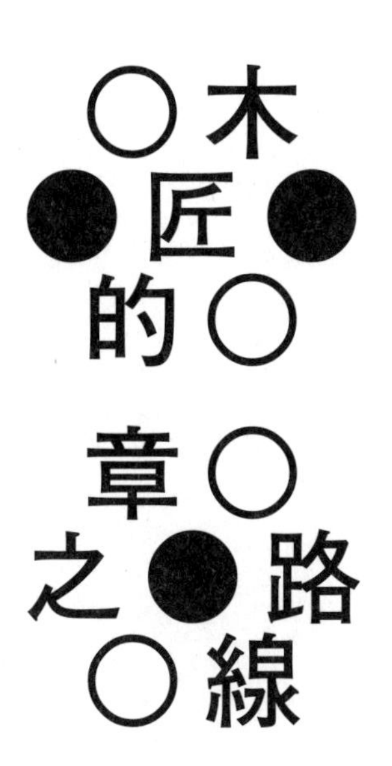

台灣博覽會紀
台北市街
中央研究院人社中
GIS 專題中心提

專賣局煙草工場
台北驛
鐵道ホテル
知事官邸
警察會館
第二高等女學校
台灣公報社
山福商會
中村染物店
小松崎商會
向陽クラブ
台衛新報
三浦屋
日本食料工業會社
大阪國際運送
近海郵船
電氣運送
基隆運輸
柳田運送
大倉商事
原川運送店
水上回送店
阿久澤商行
田中商店
鹿島ビル
正食堂
梅の家
日生清命
吾妻旅館
大成火災保險
三船醫院
奧村商店
清水組
大同生命
鶴家旅館
赤司鉱業
日ノ丸館
千代田生命
子供世界社
自動車
赤玉食堂
塚原醫院
山科商店
名嘉山醫院
美人座
日光堂
殿村醫院
池上靴店
田中商店
山内時計店
赤澤商會
秩父屋呉服店
正々堂
東京堂
松の湯
長州軒
みどり
台南新報
天賞堂
住友甘泉堂
華南銀行
日華生命
ボタン
望月公證役場
川村辯護士
ホテル合宿
中村理髮店
福屋館
淡花商會
山岡機械店
台北樓
台灣煉瓦會社
組合キリスト教會
加茂組出張所
東都書籍會社
日ノ丸電器商會
美理軒
日ノ丸アパート
自動車組合
温故信用組合
坂上博子
小林館
平川
プール
住宅
州購買
台北館
出光商會
森永販賣所
萬屋旅館
三共藥店
肥後屋旅館
愛國婦人會
台灣興信所
台北州會館
愛知館
三井物產
三井生命

*

表町
鐵道部
官舍
鐵道病院
鐵道歯科
鐵道教習所
新民報社
三浦材木店
台北郵便局
集英館
櫻井組
晃文館
丸善砿油
キリスト教會
吉田商店
明治屋
商工銀行
台北湯
ゴンドラ
大和館
朝陽號
日本生命建築場
菅野醫院
大阪屋
朝日館
土木協會
満洲館
公會堂
林業館
南警察署
公設質舖
交通特設館
日日新報社

萬屋旅館

よろづやりょかん

Original Size（原寸）

■↑ H（高さ）65mm×W（広さ）38mm

如果站在今天新公園博物館門口，順著館前路直線望向台北火車站，右手邊的合作金庫，就是日本時代萬屋旅館的所在。樸素的三層樓樓面，以今天的眼光看，很難想像是旅館。不知何故，博覽會紀念章的主圖放上總督府，而非萬屋本身。或許，萬屋要留給旅客的是來台觀光的記憶，而總督府比萬屋更代表了台灣和台北。

《臺灣日日新報》在十九世紀末創立，一八九九年，在台北街上設了幾個「投書函」（投書信箱），接收讀者的意見或爆料。據當時報載，日本政商人士進駐的「城內」，投書函就設在萬屋門前。可見萬屋是台北很資深的老旅館，比鄰近的博物館還早十幾年誕生。 *

↘
萬屋旅館有三層樓，
一樓樓面採拱廊設計。

↘
圖片右側有「奉迎」二字的大型裝置，
其後方第一間就是萬屋旅館。

柴田自動車商会

しばたじどうしゃしょうかい

北新公園博物館前的合作金庫現址，一九三五年博覽當時，包括了萬屋旅館和柴田商會。萬屋已老，並操著古老的行業，柴田卻以新兵之姿，正販賣著稀貴的目動車」(日文的「汽車」)。

一九二七年，柴田商會創立，一開始就是美國通用汽在台北的特約經銷商，販售最熱門的車款「雪佛蘭」。念章上的日文片假名「シボレー」就是雪佛蘭。

柴田身為美系車商，推銷很有一手。開業三週年時，了一個感恩「紀念賣出」，從七月二十三日到九月底，、七十天之間，只要賣到五十部車，即送出五千圓抽金。最高一名，獨拿一千五百圓，次獎八百圓也是名，三獎三百五十圓也一名，其餘四十七名各獲五圓。

最大獎一千五百圓，以現在的數字看起來，一點都不吸引力，但那時的一千五百圓幾乎可以再買一部車，車的價值又遠比今天高，普通受薪階級大約要六年的數月薪才有一千五百圓。何況中獎機率高達五十分之，正是買家出手試手氣的好時機。

結果，十月底開獎，抽中一、二獎的都是「台北市自車課」(台北市公車處)。這一年，台北市政府開始公公車系統，顯然是大戶買家。三獎獎金雖然不到首獎三分之一，但獎落基隆蓬萊計程車行的簡石旺，八十年後讀著新聞，還是忍不住興奮在胸前握拳，好像看本國球星剛灌籃得分一樣。

柴田商會主商品雪佛蘭是日本時代最受歡迎的汽車品，但對台灣歷史來說，柴田賣出了全台第一台「電」箱，而且是美國來的廠牌「富及第」，才更值得記上筆。＊

Original Size(原寸)

●↑ D(直径)56mm

●↑ D(直径)62mm

田商會刊登廣告，
題強調「閃耀的雪佛蘭是台博的交通工具！」

在柴田商會內舉辦的
一九三四年雪佛蘭新車發表會。
↗
柴田自動車商會
在戰前算是很氣派的建築。
↙

輝くシボレー
臺博の足！

高尚な外観美
快適な乗心地

臺北
柴田自動車商會

正々堂

せいせいどう

Original Size（原寸）
●↗ D（直径）36mm

:々堂」就是「正正堂」，「々」是日文重複前一個字的號。如果在電腦上敲入「おなじ」（相同之意），就會從字串中跑出來。戰前日文還有一個像「く」拉長的符，也代表重複前一個詞彙。

木工師傅楊雲源蒐集的商店戳章中，正正堂是無法得性質的唯一店。圖案上完全未露出一絲線索，圖書雜也沒有任何殘跡。店家的名號，稱「堂」者，常見於章店、菓子店、鋼筆店、皮鞋店、書店，比較不可能米店、水果店、咖啡店、洗衣店、腳踏車店，更不可的是旅館。

唯獨從一九三五年的職業地圖，今天的漢口街上，靠懷寧街口，可以尋到正正堂。左右有櫻花電氣商會、內鐘錶店，兩家店都屬表町二丁目十番地，因此，正堂也應該同一地址。

表町是台北館前路兩側，大約是忠孝西路、公園路、陽路、懷寧街圍出來的區域，町內有一、二丁目。表位居火車站前，重要商社行號雲集，二丁目七番地的台灣鐵道旅館」（二次大戰末期炸毀，舊地現為新光摩大樓）頗具指標，是台灣第一家西洋式旅館。

正正堂也算台北火車站前的一員，或許因此之故，紀章圖案才會採用台博在台北火車站前廣場架設的巨大樓「歡迎門」。 ＊

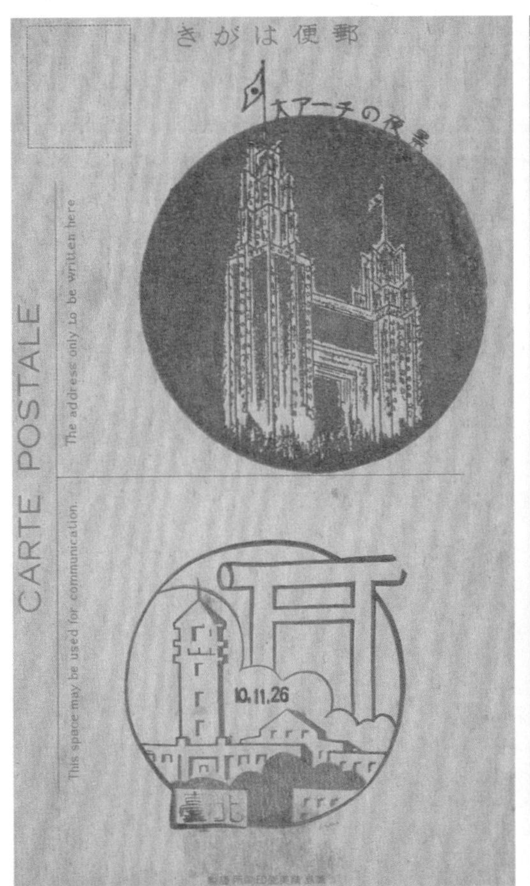

↗
台博歡迎門的夜景明信片。

↑
楊雲源在一張台博紀念明信片背後，蓋了兩章。
上方一枚也是火車站前巨大歡迎門的夜景。
章的上沿有幾個日文，「大アーチ」意指大拱門。

→
台北火車站前可以看見巨大的台博牌樓。

ち々ぶや
（秩父屋）

父屋位於表町二丁目十番地，今天開封街與漢口街之
的懷寧街上。推出的似乎是店章，而不是為博覽會特
的紀念章。裡頭盡是商家基本資料，連「振替」（匯款
帳）號碼「臺灣四八五五番」都放上去，不像一般紀念
的做法。

在紀念章冷調藍色的背後，秩父屋卻是一家色彩爛漫
吳服店。

根據《臺北市商工人名錄》登載，賣日本和服、和布
吳服店，有的會特別再標記「博多織」、「大島紬」、
織」、「棉布」，秩父屋就特別記為「銘仙店」。銘仙是
種平織布料，明治時代，銘仙本來很普通，鮮艷中帶
活潑，不盡華麗高貴。大正時代，迎來自由、民主、
放，反而與時代氣氛一拍即合，一下子大流行。日本
畫家竹久夢二筆下那些浪漫破表的年輕女性，多半都
銘仙。

銘仙有幾處知名產地，足利、伊勢崎、桐生、八王子
外，還有秩父。日本古代有所謂的「知知夫國」，位於
在的埼玉縣。知知夫後來被寫作「秩父」，埼玉縣西部
有秩父市，再往西則有跨越東京都和五個縣的大片山
，也稱為秩父山系。秩父多山，明治時代，農民多養
，夜夜織布，創造了「秩父銘仙」。

秩父銘仙已被日本指定為國家傳統工藝品，目前秩父
保存了一座復古建築，布置為銘仙館。館方的官網為
父銘仙定位為「編織出明治、大正到昭和的浪漫」。

日本時代台北表町的這家和服店，店內掛滿銘仙，老
能宗定二取名秩父屋，可見不是由來無方。 ＊

Original Size（原寸）
■↖ H（高さ）33mm×W（広さ）55mm

吾妻旅館

あづまりょかん

「吾妻」，望文生義，應該意指「我太太」，但在日本的世界，吾妻可是一個常見的名號，是姓，是地名、山名，連軍艦也都叫吾妻。

吾妻旅館的女將藤井登美惠出身台北第一料亭「梅屋敷」，是梅屋敷老闆的長女，在台北小小的日本社交圈，無人不知，所以，當一九二五年，四十四歲仍單身的登美惠去世，大家不禁感慨紛紛。報紙還說，台灣舒適愉快的旅宿，最被點名的就是台北的吾妻和台中的春田館。同時擔任過總督府醫學校校長和台灣電力會社社長的高木友枝也對吾妻旅館讚譽有加，高木說，他德國籍的太太比他還喜歡吾妻。 *

Original Size（原寸）

●↖ D（直径）35mm

■↗ H（高さ）45mm×W（広さ）20mm

肥後屋旅館
ひごやりょかん

個叫「川上勝喜」的日本人，從家鄉九州熊本來到台
開設旅館，他為自己的新事業取了一個有鄉里風味的
號「肥後屋」，肥後正是熊本的古地名，一千多年前，
裡曾經有個「肥後國」。

店名看起來企圖清楚，出身熊本或九州的日本人若
台北，很可能衝著親切的「肥後」兩字，就踏進來了。
九二九年，二十歲出頭的田中入住肥後屋一個月，期
不斷偷竊，偷旅館內的鄰居，也偷到總督府官員的宿
去，此事被寫進了報紙；這個田中小偷正是熊本宇土
的人。

田中口袋空空，能住肥後屋一個月這麼久，也是因為
後屋是「下宿」。早期台灣留學生到日本留學，男生們
會選擇「下宿」，比較便宜，又包吃住。親近如家庭的
屋生活，與老闆娘的女兒擦出浪漫的感情火花，也曾
所聞。

比對一九三二年台北市的商店地圖，這個旅館正被標
為「御下宿肥後屋」。肥後屋位於「明石町」一丁目三
地，約當今天南陽街二十三巷口附近，從博物館前的
陽路轉進南陽街，沒兩步就到肥後屋的舊址了。

三〇年代，肥後屋隔著南陽街，對面有「台北幼稚
」；台灣前輩攝影師鄧南光當時在不遠的京町開照相
材店，他的長子鄧世光就送到這裡就讀，幼稚園運動
時，鄧南光還拍了錄影片《台北幼稚園》，為兒子留下
貴的動態童顏。鄧南光當年進園之前，或許也以他攝
家的銳眼，自然瞄了肥後屋一眼吧！ ＊

Original Size（原寸）
●↖ D（直徑）38mm

小林旅館

こばやしりょかん

一九三五年台灣博覽會前幾個月，六月二十八日，有個日本女士穿進今天細細如小巷的南陽街，到了信陽街口，入住了「小林旅館」。早出晚歸，沒有跟任何人會面。

兩天後的晚報登出消息了，說是有個海賊女頭目，妙齡二十五，出身北海道，名叫中村末子，卻淪為對岸中國海盜的山寨夫人，以海賊群聚的福建興化的南日島為根據地，「稱霸一時」。當時風聞她「飄然來臺」、「祕密來北」，但記者還弄不清楚她芳蹤何處。

三、四天後，記者才找到小林旅館。白天去，撲空沒等到人，竟然如現代狗仔逕入房間亂探，只見「室中雜置婦女用之化妝品」。記者不死心，在小林旅館守株待兔。晚上十點，女主角終於出現了。

傳聞中的女頭目卻說了一個不同版本的故事。她是東京人，十歲時，被父親賣給姓陳的中國布商。到了中國，採牡蠣、種花生，也沒念書，後來嫁給中國人，現住福州，從台灣進口石油、砂糖做買賣。會被繪聲繪影說成是海盜頭目，她說可能是前一年的夏天，她確實被海賊包圍，強令坐上轎、搭上船，後來她反而持槍還擊，喝令停船……

讀到這裡，疑點重重，不知道當時的記者有沒有一頭霧水，不過，他大概也只能聽到什麼記什麼了，眼前這位女客可不好惹。記者曾請求拍照遭拒，記者退而求其次，詢問是否可提供個人寫真，結果，她帶著江湖味，對記者說，我的照片，只廈門的日本領事館有，如果要的話，可以跟那邊要。

日本時代，中國東南海面一直是賊場，到三〇年代初期，不時有女人當海盜頭頭的傳聞，絕奇得讓人吃驚。有一個聽說還是美國人，二十幾歲，不僅會英語、法語，北京話、廣東話也精通，射槍百發百中，她還把槍弄得滿花俏，裝金飾銀……

小林旅館的紀念章，如窗戶的邊框，望出去，風吹椰樹搖，城門層層暗影，似乎早已準備好，等著說一段女海賊入台北城的離奇。 *

Original Size（原寸）
■↗ H（高さ）59mm×W（広さ）64mm

日の丸館

ひのまるかん

九二一年十月二十三日，南洋來的武昌丸停靠基隆，位日本醫學博士帶著一對兄弟下船，小的九歲，大的四歲，人小，來頭可不小，他們是暹羅（泰國）的皇，準備來台留學。他們的第一個晚上，就下榻台北火站前的名宿「日之丸館」。

兩位暹羅小貴族出身 Bunnag。十九世紀中期泰皇拉五世王權集中以前，Bunnag 一直是最有權勢的家族。入二十世紀，Bunnag 家族依然多顯貴，與皇室關係切，兩位兄弟的姑姑就曾是皇后。

拉瑪五世約與明治天皇同一時代，是泰皇蒲美蓬的祖，他有英國籍的女家庭教師，會講英文，泰國皇室從有留學的傳統。蒲美蓬的父親就是哈佛校友。

事實上，來台的兩位小留學生在曼谷家鄉也有法國籍庭老師，受過法式教育。會到台灣，緣於醫學博士磯美知。磯部原本在曼谷執業，深得兩位兄弟的父親信，當他準備應聘到台灣的總督府醫專，就受託護送到灣念書。兩個小兄弟未來想到日本研習醫學和軍事，小學過渡期，就先在台灣學日文、熟悉日式生活。

離開日之丸館後，一行人在大正街（今林森北路一帶）條通住下來，弟弟到最近的建成小學校就讀二年級，哥則獲准到第一中學校（今建國中學）當特別旁聽生。

兩位泰國貴族的台灣留學生活，磯部曾特別回憶說，國無雪，Bunnag 兄弟看到大屯山飄雪，非常興奮，上捧起來大啖。哥哥還把雪壓得硬硬的，企圖帶回，只是，可以想見，中途雪就融了。

除了泰國貴客入宿值得一談外，日之丸館更是台灣早有汽車的地方。日之丸館老闆杉森與吉一九一二年天買進了汽車，那時候，旅館靠北門，大約今天開封上，近博愛路口。可嘆兩年後一場大火，燒了日之丸，也毀了台灣第一部汽車。杉森老闆就轉到明石町二目六番地（今天忠孝西路、公園路口）另起爐灶了。＊

↖
圖為日之丸館歷經祝融後，
到今新公園、忠孝西路口重新營業。
圖為在北門街（博愛路兩側）時期的日之丸館。

Original Size（原寸）
●↗（直徑）40mm
●↗（直徑）58mm

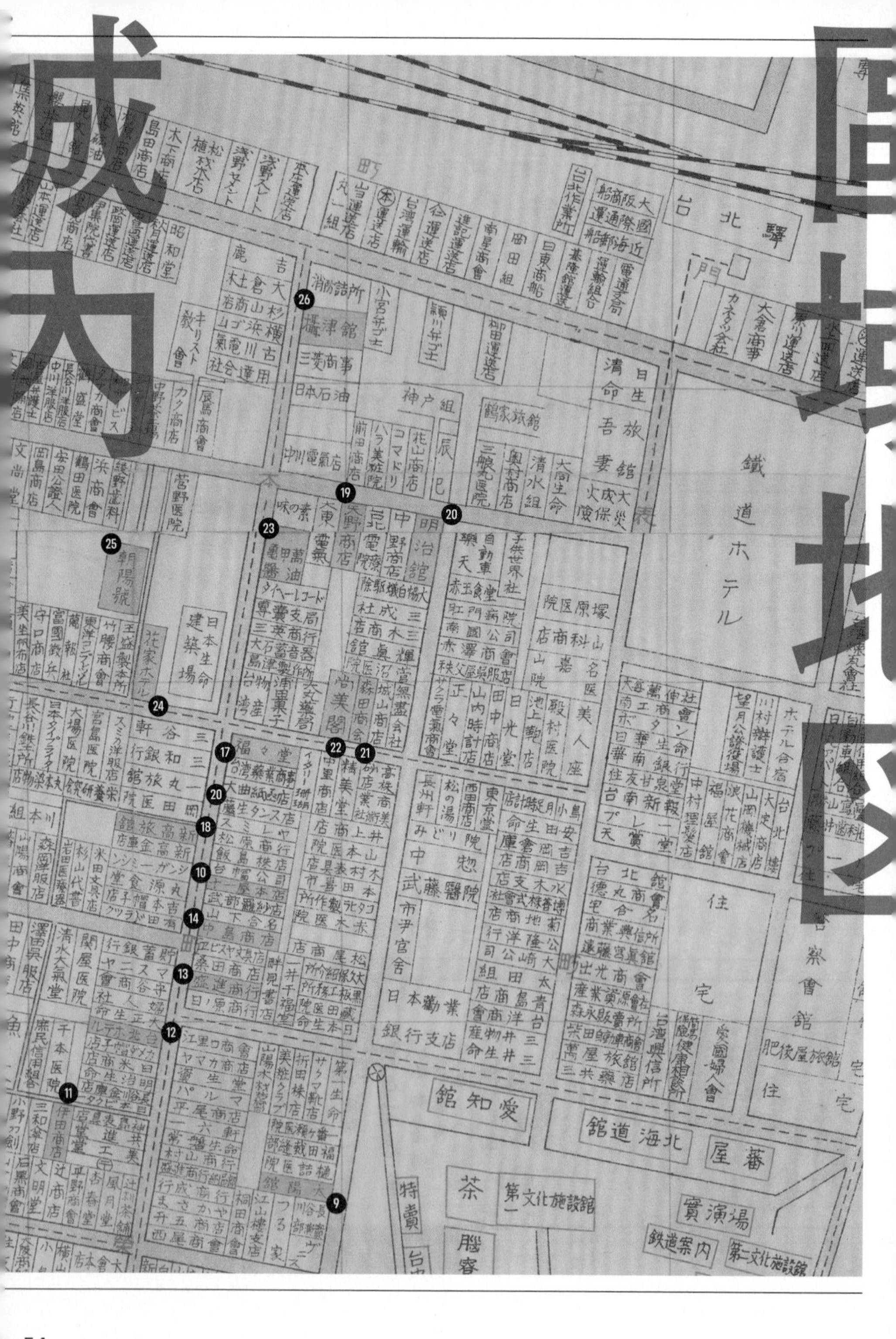
城內
台北驛
鐵道ホテル
愛知館
北海道館
番屋
實演場
第一文化施設館
鉄道案内
住宅
日本勸業銀行支店
台湾興信所
愛國婦人會
朝陽號
花家ホテル
日本生命建築場
辰馬商會
菅野医院
神戸組
明治館
美人座
攝津館
日生旅館
清命
吾妻
消防詰所
台北作業所
大阪商船
國際通運
近海郵船
電通支局
基隆運輸組合
日東商船
岡田組
肥後屋旅館
警察會館
茶
特賣
9
10
11
12
13
14
17
18
19
20
21
22
23
24
25
26

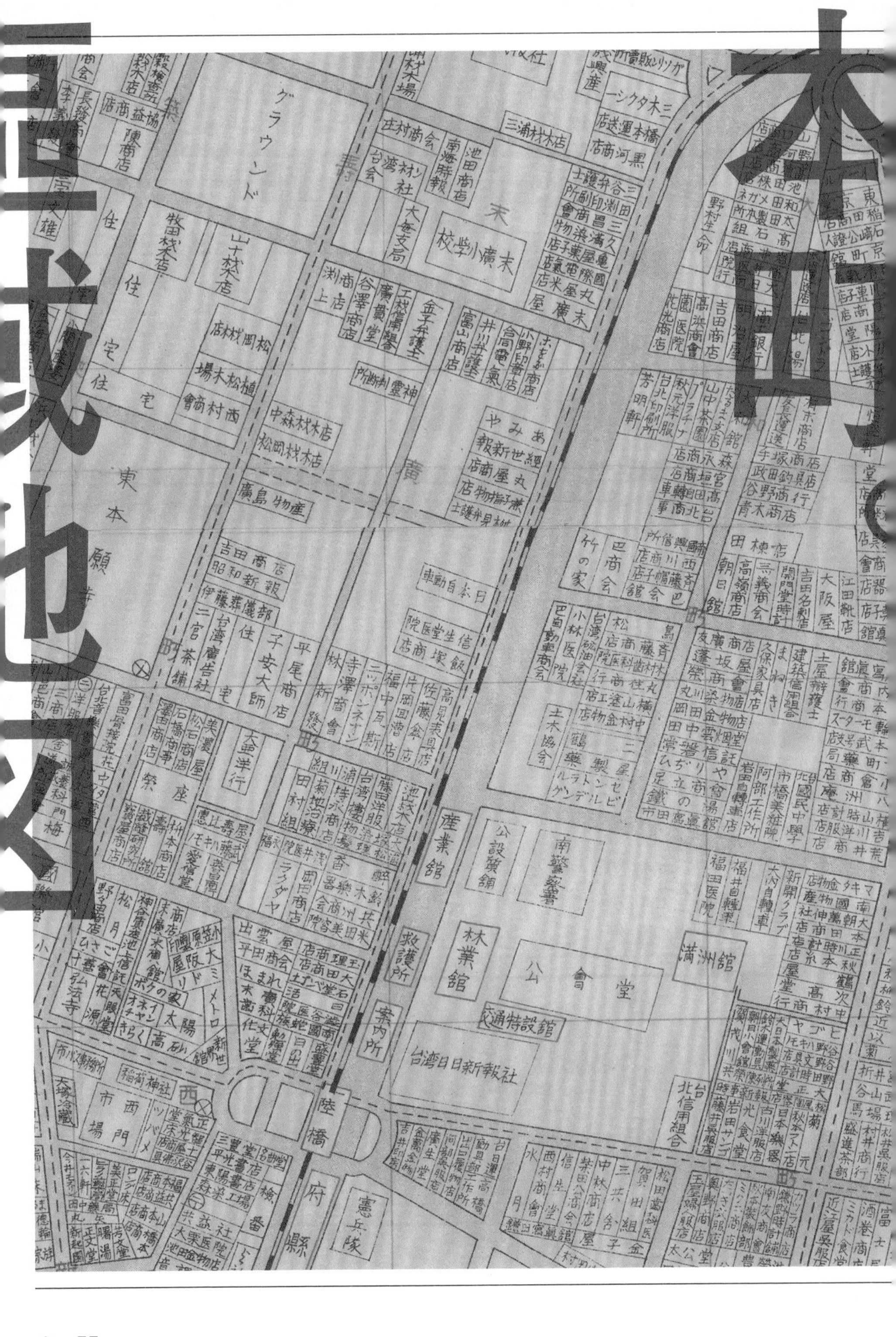

本町
グラウンド
東本願寺
末廣小學校
三浦材木店
公會堂
台湾日日新報社
滿洲館
林業館
產業館
救護所
案內所
南警察署
公設質舖
交通特設館
日本自動車
巴商会
大阪屋
陸橋
憲兵隊
稻荷神社
西門市場

太陽館

たいようかん

像日之丸館把內外都刻在紀念章上，太陽館章沒有一旅館的模樣，只有太陽照耀著象徵台灣的椰子樹和香蕉，以及代表台北日本味的台灣神社。

太陽館也是本町旅館群的一員，位於本町一丁目一番，本町是重慶南路一段兩側，太陽館似乎也該臨著重南路，事實上位於襄陽路、衡陽路之間的懷寧街上。本編制地址的規則跟當前的台灣不同，台灣的地址沿線形馬路，有順序編號下去。日本卻是以丁目的「塊」來編號，各番地之間不盡規則，一番地的旁邊可能六番地，找地址常要繞圈子。

太陽館的歷史頗久，一九一〇年代就已接待四方客，原來名叫「台中館」，一九一七年才更名為太陽館。闆倒是沒換，都是大島家族的人。

台北城內的旅館規模，多者三十一間房，少者六間、間的也有。太陽館有二十六間房。論價格，一泊最高圓半，最低一圓八十錢，在城內旅館界，算是中段班位。

＊

上圖照片可以知道太陽館是兩層樓建築，
下圖中，入口門柱兩側隱約可見淡色的「旅館太陽館」幾個大字。

Original Size（原寸）
●↖ D（直径）52mm

十一屋

じゅういちや

固店有個神奇的名字「十一屋」，緣由不解。老闆脇村
告十一月出生，是唯一相關的訊息。

脇村於一九二〇年創設十一屋，本店就在今天西門町
古蹟西門紅樓內，日本時代，那裡是西門市場。雖說
易，跟賣魚賣肉的菜市場不盡相同，裡頭還有許多跟
舌有關的商品，鐘錶、洋貨，不一而足。十一屋主賣
妝品。紀念章上，繞成一圈的如細葉的圖案，有幾分
以資生堂化妝品廣告常採用的手法。或許，那種細膩
乎應了化妝品女性客群的氣質。

十一屋似乎經營順利，高雄有分店，在台北城內的本
二丁目（今重慶南路一段三民書局一帶）也開設了批
吉。依一九三五年博覽會當時的廣告，十一屋還是「マ
ター」化粧品的台灣總經銷。戰前，日本已經有不少
妝品牌，「マスター」在台刊登不少廣告，也曾聘請東
松竹少女歌劇團來台公演助勢推銷。

「マスター」的創辦人「小口みち子」不僅不是一般習
的男性老闆，還是明治末期爭取女權的運動家，大
時期另成為時代尖端的美容家，在婦女雜誌《主婦之
》、《婦人俱樂部》長期教授美容術。她的丈夫小口忠
來是知名的電影導演，後來也和她一起投入化妝品的
界。兩人的事業軌跡都充滿了戲劇性。 ＊

マスター香粧品
メヌマポマード
全島配給元
臺北 十一屋本店
高雄 十一屋支店

↖
主賣化妝品的十一屋
在台北、高雄都設有店面，
是日本化妝品牌「マスター」的
全島經銷商。

Original Size（原寸）
●↑ D（直径）40mm

伊田商店

いだしょうてん

今天的沅陵街不寬，小小的巷道，連結本町（重慶南路一段）和京町（博愛路），日本時代有個別名「都通り」。現在大家熟悉台北市林森北路一帶有四條通、五條通，「通」即來自日文的「通り」，意指「道路」。事實上，日本時代，城內各町的主要馬路都被慣稱「本町通り」、「榮町通り」。當時的沅陵街分屬本町和京町，卻仍被稱「通り」，大概因為沿街商店林立，擠入都心圈，而有自己的名號。

「都通り」上有些名店，如「魚文」，做的是日本料理生意。靠本町這一邊的伊田商店則是台北上流家庭喜愛光臨的店舖，專賣高級食材；除了在紀念章上看得到的日本酒、洋酒、煙草、葡萄，也販售台灣特產、水果罐頭等等。一九三〇年代，伊田商店廣告宣傳得最厲害的則是冰涼的生啤酒，強調「迅速配達」。

紀念章上也刻了英文店名，妝點伊田商店「高級」、「洋貨」的特質。「C. IDA & Co.」的 IDA 是「伊田」的日文發音，C 應該是老闆伊田長一的名字「長一」的縮寫。

伊田長一原來在近藤商會工作，近藤商會是台北老牌的大商社，批售知名的白鶴清酒。近藤商會的建築仍在，即今博愛路九十三號的華南銀行，距離沅陵街口才幾步路而已，距離伊田商店也不遠。 *

●生一本
本秋最初の樽酒
御用命分讓致します・・・
エシコール代理店
臺北市本町都通り電四五五番
伊田商店

伊田商店刊登廣告，推銷秋天新上市的樽酒（大桶裝清酒）。

Original Size（原寸）
■↑ H（高さ）40mm×W（広さ）50mm

台北ホテル

たいほくほてる

（台北旅館）

北火車站居交通樞紐，站前的「城內」，占盡地利，旅
密度遠高於全台任何區域。其中，本町（今重慶南路
段）更有七、八家之多。

「台北ホテル」（台北旅館）一九二六年才進駐本町一
目，位於今天重慶南路、襄陽路口附近。台北旅館
開始沒跟老前輩拜碼頭，直接就採取新做法，廢除
茶代」，不跟宿客收小費，犯了日本注重團體和諧的大
，一度引發同業不滿。

旅館跟寺廟一樣，也跟診所相似，一定有人住、有
拜、有人看。初期同業的嘀咕無害台北旅館的經營，
幾間房的中型規模，一樣吸引各式客人。一九二九年
月，台北旅館見證了台灣體育國際交流的一頁，迎來
一位菲律賓的年輕男士，他們將到東門游泳池（今中
運動中心），和台灣隊進行游泳比賽，這是兩地第一
的水上競技。

菲律賓客人戴著帽子，穿著淡茶色西裝。當時，菲律
屬美國非自治領土，國徽上有典型的美國老鷹，下方
「Philippine Islands」（菲律賓群島）的英文字，因此報
說他們的西裝胸前有「PI」兩字。 ＊

↖
台北旅館特別刊登廣告，
表示已廢除「茶代」，
不跟宿客收小費。

←
台北旅館所在的本町通
就在台博會場附近。
「祝台博」的鈴蘭燈和霓虹燈招牌，
裝飾出熱鬧繁華的夜景。

Original Size（原寸）
●↑ D（直径）47mm

盛進商行

せいしんしょうこう

日本統治第一年，盛進商行的老闆就來台灣了，沒三、四年，插旗台北城內重地並有兩家店。日本時代，盛進長時間都是數一數二的百貨店，報紙刊登的台北物價，有一段時間就以盛進琳琅滿目的商品為本，盛進也曾是資生堂化妝品的代理商。

民間商家的活力常不見正式大歷史，卻真真實實影響大眾的生活與見識。盛進就帶給台北許多新鮮驚奇。譬如一九一四年，距今已經超過一百年，盛進擺出一座神奇時鐘，一按，會自動報時，還是講英文的。不知道有沒有人動心要買，不過，老闆存心展示，僅此一件，列為非賣品。

盛進是大店，出手大器，一九二三年末，不跟同街上的商店合作，單獨自辦抽獎促銷活動，第一大獎是一部汽車。根據統計，一九二三年，台北市的汽車只有九十四部，盛進第一大獎的魅力之大，可想而知。隔年一月十一日，慎重開獎，警察局長和新聞記者都被請來列席監看。最後揭曉得獎者是——大阪人，他來台北買了一個二十八圓的銀錶，就抱走汽車了。盛進帶給台北得獎的美好渴盼，最後卻也重重打擊了台北的心。

過了九年，盛進又為了一九三二的年終大特賣，使出新噱頭。這一次是在本町（今重慶南路一段）本店的櫥窗擺上一個真人大小的石膏像，出自多次入選帝展的名家之手，名為「擦腳的女人」。雕像主角坐在石基上，左腳垂地，右手抓起右腳前端五指，抬起來放在左膝上，讓左手擦拭著翻過來的右腳掌。一望雖是藝術品，卻也是身裸乳垂的婦女，在人來人往的大街上公然吸引目光，不安的情緒如海水拍岸，激起高昂的浪花。此事立刻登上報紙，新聞說盛進櫥窗的「裸婦像」讓警察很傷腦筋。

＊

↗
盛進商行
代表取締役（代表董事）
中辻喜次郎。

Original Size（原寸）
●↗ D（直徑）50mm

本町（今重慶南路一段）的盛進商行本店。

南署で首をひねつた
裸婦像『足を拭ふ女』
盛進商行の窓飾行き悩む

一九三二年年底，
盛進商行在本店的櫥窗
擺上名家的作品「擦腳的女人」，
這尊真人大小的石膏像一度引起側目，
達到另類的宣傳效果。
←

↓
圖中大街為今衡陽路，
左側街角的樓房也是盛進商行。

↘
盛進販售的商品琳琅滿目，
除了長期代理資生堂的香皂、化妝品，
也販售男士帽和各種登山露營用具。

夏帽新荷着

臺北西門街
盛進商行本店

中島商會

なかじましょうかい

島商會推出的紀念章，以婦女帶幼兒推著嬰兒車為主案，正因為嬰兒推車是中島的主力商品。

三〇年代台灣的女性雜誌《臺灣婦人界》上，中島商就有幾款推車的圖錄照片，模樣看起來很有現代風，經跟今天所見無異，也可以折疊，只是骨架稍瘦，有種陽春感而已。售價就不陽春了，三款的定價都超過圓，跟一些較為低薪的女工、女店員的月薪差不多。

另一方面，台北市民認識的中島商會也是一家藤具日本時代，藤椅頗為高級，也頗受歡迎，特別台灣熱，藤椅坐起來比布料沙發涼爽。照相館會擺藤椅供照，高爾夫球場休閒室也會放藤椅。總督府的營繕技井手薰設計了台北公會堂（今中山堂）、高等法院（今法大廈），如此的建築專門家，也是以典雅的藤椅布自家的客廳。

如果去問現在的搬家師傅最討厭搬什麼，答案很出意外，不是重得扎扎實實的書，而是一支一支、一片片的東西，譬如曬衣服的竹竿、盆栽、掛畫。這些看來很輕的東西，搬半天，不占卡車的空間，不符經濟益。反推回來，搬工喜歡體積大、重量輕的東西，所，他們最喜歡看見客人有藤桌、藤椅。 *

Original Size（原寸）
■↖ H（高さ）50mm×W（広さ）63mm

中島商會店面陳列了許多藤製商品，不過主力為銷售嬰兒推車，
一輛折疊式嬰兒推車售價超過十圓，
相當於一般人半個月的薪水，相當昂貴。
↗

↘
現代人用鋁鎂合金行李箱，
日本時代，手提的藤編行李箱才是大宗。

↘
一九二三年為迎接日本皇太子而建造的草山貴賓館，
內部以藤椅布置。

日本時代的藤椅也有造型變化，圖中寫真照相館備置的籐椅，彷彿孔雀。

小川紙商店

おがわかみしょうてん

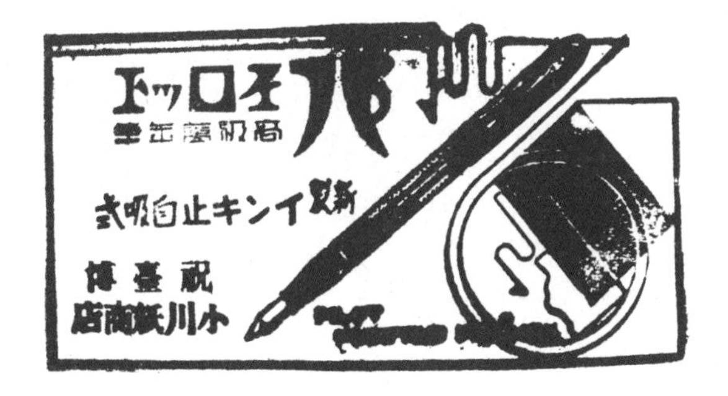

Original Size（原寸）

■↑ H（高さ）30mm×W（広さ）70mm

■↑ H（高さ）57mm×W（広さ）90mm

川紙商店推出兩枚台博紀念章，風格完全不同。兩朵瑰花和一隻貓咪陪伴卷髮小童畫畫，簡單明晰的線，讓人感覺幸福，反覆看也不覺膩。

好可愛的還有上方的字體，「クレイヨンハ王樣」，意是「蠟筆就是王樣」。台灣人對「王樣」很熟悉，王樣彩陪伴許多人度過童年的畫畫課。但也習而不察，未究為什麼是「王樣」、什麼是「王樣」。

許多資料顯示王樣商會創於一〇年代，但根據一九三年版《新興日本商標總覽》，則載為一九二一年。當時產蠟筆剛起步，創辦人甲斐惟一走在時代先鋒，讓王在昭和初期成為聞名全國的蠟筆第一品牌，一九二四在台灣的廣告還說日本「各宮殿下」也都選購。王樣有開發彩色粉筆、水彩等畫具，行銷到中國、南洋、美及南美。

日文「王樣」意即「國王」，王樣的商標就是一個戴著冠的西洋國王，小翹兩撇鬍子，雙眉微皺，眼神於是發出威嚴。

戰後台灣產的王樣水彩，跟戰前日本的王樣商會無，但因台灣老闆出生於日本時代，戰後又常往日本參學習，顯然熟知王樣盛名，才會在台灣發售一個名字此日本味的商品。

小川紙商店雖名為紙張店，但也是文具店，除了蠟，也賣鋼筆。另一枚紀念章彷彿是一塊日本鋼筆老「百樂」(パイロット)的宣傳看板。百樂取自英文的ot，意思是飛機機長，也是引領船舶入港的引水人。筆以百樂為名，正因為創辦雙人組並木良輔與和田正都出身商船學校。

百樂確實也一直領航日本鋼筆界。一九一八年，並兩人就結合日本漆器的工藝，讓鋼筆筆身上漆，變幻如藝術品的「蒔絵」鋼筆，成功反向西方輸出。紀念上宣傳「インキ止自吸式」鋼筆，也是百樂三〇年代新發明；以筆身內的一支推桿，往上拉，就可以吸飽水。 *

三〇年代的王樣蠟筆(上)和水彩(下)盒裝模樣。

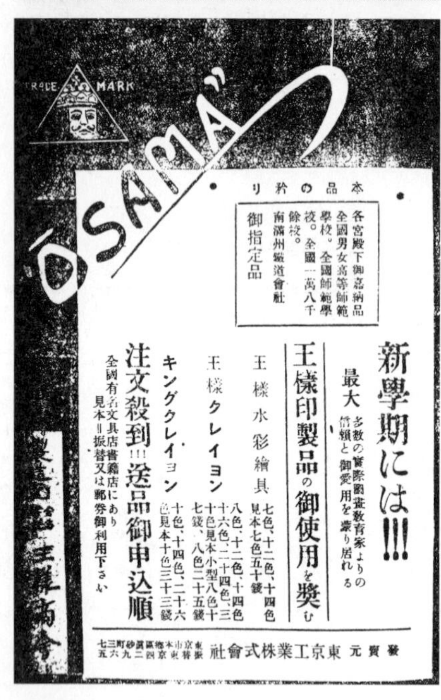

王樣商會辦公室全景，
工場緊臨在旁。
↑
王樣的彩色蠟筆、水彩等畫具，
顏色最多有二十六種，
售價五十錢到三十三錢不等。
↑

→
王樣的商標
為戴著皇冠的西洋國王，
小翹兩撇鬍子，雙眉微皺，
眼神散發出威嚴。

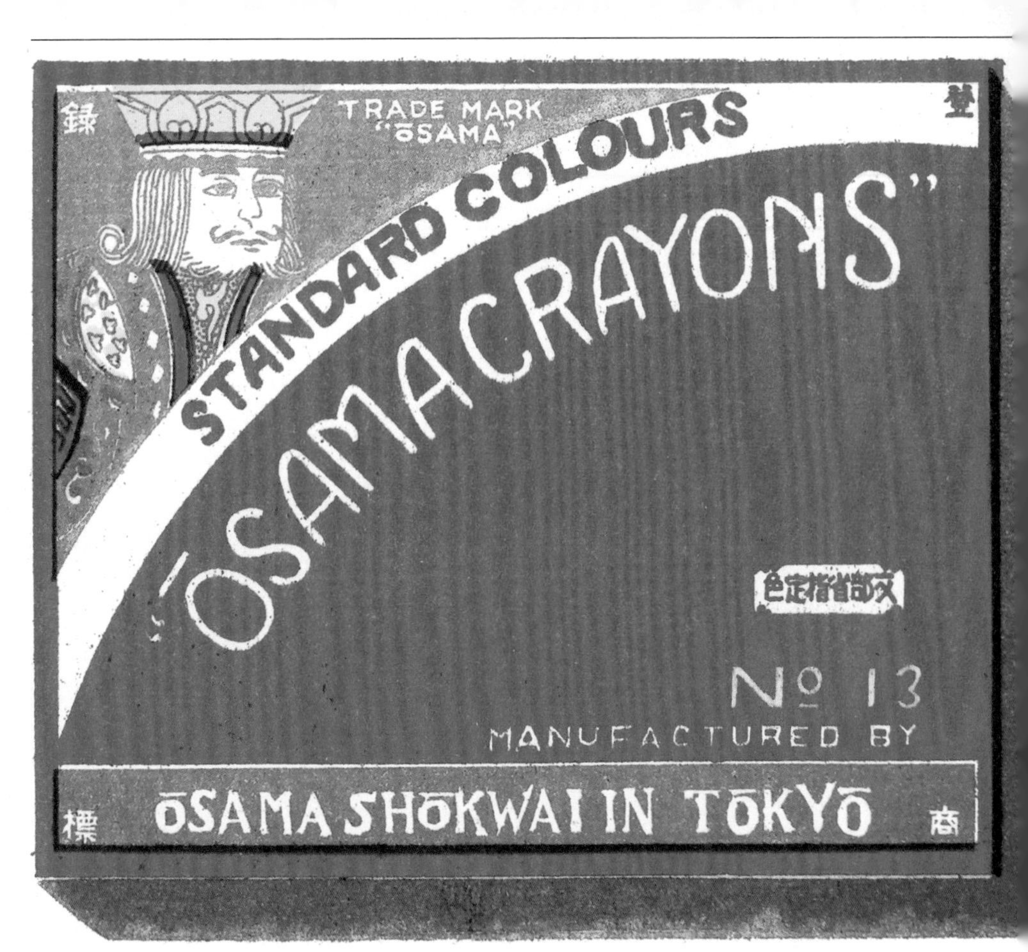
商標登錄
TRADE MARK
"ŌSAMA"
STANDARD COLOURS
"ŌSAMA CRAYONS"
文部省指定色
Nº 13
MANUFACTURED BY
ŌSAMA SHŌKWAI IN TŌKYŌ

KING
MOIST WATER COLOURS
キング水彩繪具
十二色
MADE IN JAPAN
東 王樣商會 京

三生堂

さんしょうどう

見三生堂的紀念章，忍不住驚呼，精緻漂亮的獵犬和革項圈，像是精心設計的狗食品牌商標，也滿適合拿當寵物店或獸醫院的標誌。但事實上，跟寵物無關，生堂是一家槍砲店，做一種台灣早已消失的生意，專打獵用具。依台北市一九三六年的資料，市內只有兩槍砲店，另一家是「小林槍砲火藥店」。

狩獵成為英國貴族休閒傳統活動已經快一千年，至未歇。日本從十九世紀西化，生活方面模仿英國特多。日本統治台灣後，不少高官來台也熱衷打獵。八九九年來台灣的添田壽一，擘畫創立臺灣銀行，擔臺銀「頭取」（等同總裁、董事長）之餘，也愛打獵。一次遊獵歸來，還去淺井寫真館拍了一張紀念照；頭鴨舌帽，左腋下夾著長管獵槍，跟前趴著獵犬，手上著像雉雞的獵物。整張照片看起來，雖然添田壽一面嚴肅，仍壓不住一片得意洋溢紙上。

其他如台北醫院（台大醫院前身）醫長（院長）倉岡彥、鐵道部長新元鹿之助也是知名獵友。連畫家木下靜的興趣也有打獵。台北的獵友名單上，自然也少不了行的英美人士。台灣人就少了，不過第一位買汽車的灣人黃東茂，本是洋行買辦，會說英文，天天和洋人從，也曾加入狩獵行列。

Original Size（原寸）

●↗ D（直径）30mm

■↖ H（高さ）85mm×W（広さ）77mm

日治初期，台北最知名的獵具店不是三生堂，而是「荻野商店」。一九一四年十一月，照例舉辦第四回的打獵比賽。午前四點，日未破明，新公園音樂台前打出兩發煙火為訊號，參賽者紛紛從黑夜中現身。四點五十分，煙火再一發，全員就各自奔出了。沒有指定的方向和範圍，反正傍晚六點半，大家再回到新公園，清點囊中多少獵物，勝負即分曉。

獵友們不能昨天想到今天就來參賽，要事先申請許可證才能出陣。獵期結束，還要繳回證件。因此年年都要申請一次。證件費高達三十圓，價值感跟現在好幾萬元差不多，加上購置獵裝、獵槍動輒百圓起跳，獵犬搭火車也要車票，種種花費疊高起來，打獵隱含的貴族性不言可喻。難怪每年獵期九月十五日開始，各地大約只有二十到一百二十人之間提出申請。 *

臺灣銀行首任頭取
添田壽一熱愛打獵，
某次遊獵歸來，
在淺井寫真館拍紀念照。
↘

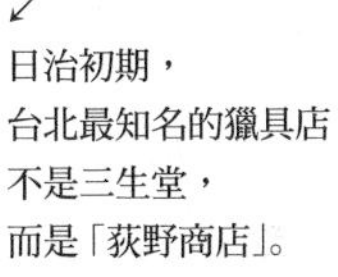

↙
日治初期，
台北最知名的獵具店
不是三生堂，
而是「荻野商店」。

福々堂

ふくふくどう

八角章的圖案很簡單，右側幾個片假名「フクフクドウ」，就是「福福堂」的拼音，主圖則是著名漫畫主角大力水手卜派。

美國漫畫家E. C. Segar最初從一位六十一歲叫法蘭克（Frank Fiegal）的鄰居男人找到靈感，幾乎拷貝他的模樣，在一九二九年的報紙上創造出卜派。卜派本來不是主角，但是吞下菠菜，瞬間變成有神力的水手，不僅立刻翻身變主角，還紅成動畫大明星。

一九三五年，位於台北本町二丁目三十八番地（今重慶南路、漢口街口，與商務印書館舊樓隔著漢口街相望的三角窗店面）的福福堂，很快運用了這位卡通大明星，但是，福福堂是日式菓子店，和卜派有何連結，無法確認。

另一個紀念章採用日本福神，就能理解了。日本傳統有所謂七福神，厚大的耳垂是他們的共同特徵，但手持的東西全不一樣。福福堂採用的福神可能是「大黑天」，祂總是揹著大包袱。

福福堂屬於國島家族，他們對「福」字似乎特別著迷。一九二九年，另要開設喫茶店，類似今天的輕食咖啡店。福福堂公開徵求店名，吸引六百多封信熱心參與。結果，老闆還是看上「福福」。而提議此名的信有二十四封，最後就從二十四人中抽出一個獲獎者。其他五、六百落選者知道結果如此，可能要覺得福福堂誠意不足、虛晃一招，根本存心捉弄。 *

Original Size（原寸）
■↗H（高さ）113mm×W（広さ）88mm
■↗H（高さ）63mm×W（広さ）56mm

新高旅館

にいたかりょかん

高旅館之名來自「新高山」，紀念章才會以新高山（今山）為圖案。日本第一高山為富士山，三千七百多公高，但一八九五年台灣納入領土後，富士山應該難過，玉山三千九百多公尺，勝過一百多公尺，因此兩年，明治天皇賜名玉山為「新高山」。

事實上，日本時代，新竹、嘉義、台南都有以新高為的旅宿。台北最大的書店也叫「新高堂」。

台北的新高旅館位於本町二丁目五十八番地，是一漂亮的紅磚三層樓房，舊址即今重慶南路一段的郵，住宿價位比台北ホテル稍低，跟太陽館差不多。九一四年開始營業，七年後，發生了一件有溫暖結局偷竊故事。

九三八年北一女學生登上新高山，們用登山杖將遮陽斗笠高高撐起，慶祝這值得紀念的一刻。

Original Size（原寸）
■↖ H（高さ）65mm×W（広さ）38mm

有個姓大村的十七歲少年來投宿，開始還有付旅宿費，後來偷了鄰房客人手提包裡的十幾圓現金就逃跑了。新高旅館老闆鍵山女士自然向警察報案。同時間，大村跑到台南找伯父，哭著懺悔偷錢的事，伯父怒氣未因此消滅，馬上用繩子把大村綁在後院的木瓜樹上，三天三夜不給飯吃。

大村咬斷繩子脫逃，在台南公園被一個住大稻埕的日本人好心帶到台北。新高旅館的鍵山老闆娘獲知整個事情經過，又瞭解了大村來自長崎，七歲喪父，十五歲喪母，孤苦無依才到台南找伯父，覺得雖然是偷錢的「不良少年」，但其情可憫，她既撤訴，也決定收留大村，提攜他到成年。 *

↖新高旅館是一棟

矢野商店

やのしょうてん

使到現在，台灣對日本來說，仍是水果天堂，芒果、樂、蓮霧、荔枝、楊桃、鳳梨、香蕉，都是日本本所無。日本時代，台灣的「熱帶果實」就成了日本人日的極佳土產。台北城內有幾家水果店，全力經營這生意。位於本町三丁目一番地（開封街上，近重慶南口）的矢野商店，一九二三年開業，到台灣博覽會期，已進入第十三的年頭。

依一九三六年報紙報導，矢野商店老闆矢野健太郎，台灣輸往日本的水果土產，按照季節而有不同選，十二月到一月是椪柑；二、三月是桶柑；四到六月木瓜；鳳梨在七、八月才有；九月到十月的中秋時，當然非文旦莫屬；十到十一月的白柚，則是當時熱帶果實界の寵兒」。

矢野商店為服務顧客，水果可幫忙直送基隆港的客內。戰前基隆到日本的航線終點是神戶，一九三〇，矢野在神戶設置分店，可以事前訂購，直接從神戶貨。 ＊

白柚
文旦
內地御土產は
矢野商店へ
臺北市本町三ノ一
手荷物は船中まで御届け致ます

↖
台博期間正值白柚文旦的產季，
矢野商店刊登廣告提醒大家買來當作土產，
還能幫忙送到船上客艙。

Original Size（原寸）
■↑ H（高さ）58mm×W（広さ）48mm

明治旅館

めいじりょかん

走到今天懷寧街、開封街口，四角的建築，唯獨一棟三層的矮樓，日本時代的主人是「明治旅館」，距離台北火車站才兩百公尺。

明治旅館是本町旅館群的新生，一九二九年才開業，卻是旅館老手的新作。田中貞熊早在一九〇四年就承接一家台中的旅館「春田館」，佐久間左馬太總督到台中視察時曾入住為客，春田館在台中宿旅界的地位自是不同。春田館也為台中帶來許多文明發展的活力，譬如，台灣於一九一二年才引進第一部汽車，而田中於一九一七年，就投資經營台中市區的巴士載客，走在時代的前端。

田中貞熊事業日大，曾到庫頁島投資礦山。一次在返台路上，在日本遇見火車脫軌，他站在雨中淋了三小時，引發感冒，抱病搭船回台灣，一到基隆上岸，住進旅館，他的太太趕過去照顧，已經無力回天。旅館經營者最後永眠於他人的旅館，滋味真複雜。

不過，田中身後，家人仍撐起事業，南投ホテル（南投旅館）及後來的明治旅館就是證明。 *

Original Size（原寸）
●↖ D（直径）46mm

森田商會

もりたしょうかい

九二九年，台北市漢口街一段靠近懷寧街口那邊，一賣皮包、皮鞋的專門店「森田商會」想出了一個新奇活動。老闆森田虎之介在櫥窗內擺了一雙超大皮鞋。用日本鞋類的尺寸單位「文」來標示，一文二點四公，這雙大皮鞋十三文，已超過三十一公分。森田說，穿得下這雙鞋，除奉送鞋子外，加碼再送皮箱。一時來不少人氣，報紙都關注到了。

老實說，這個噱頭有點折騰人，現在隨意搜尋網路的國鞋子尺寸對照表，三十一公分根本在表外。美國職明星麥可喬丹、柯瑞，腳也都沒超過三十公分。森田闆可能看準了台北沒人能穿得下三十一公分的大鞋。終於一月十九日走進來一位日本記者筆下的「大男」，高六呎二吋五，約一百八十七公分高，終結了「誰穿大皮鞋」的活動。大男住萬華的下崁石路（今大理），以磨刀為業，除了大腳，還有一個很上口的名字林登登」。早年報紙偶爾會植錯字，林登登也可能是撿鉛字的結果。

森田於一九二〇年開業，有許多台北學校指定學生此買鞋，似乎可說是一家鞋店。但博覽會期間，參觀客多，可能目標鎖定旅客，紀念章才會強調「旅行用」，搭配男士提皮箱的圖案。 ＊

臺博見物の御仕度御旅行に
靴と鞄の御用命は
最も勉强する弊店を……
刑務所製品專賣所
臺北市本町 電話六〇番
革工商 天 森田商會
基隆市義重町 森田商會基隆支店

↖森田商會廣告，提醒顧客可以預訂逛台博之用的皮包和皮鞋。

旅行具商
天
森田商會本店
台北市本町
電話1601番

Original Size（原寸）
●↑ D（直径）48mm

尚美閣
しょうびかく

台北開封街、懷寧街、漢口街、重慶南路圍起來的方形區塊，於二〇年代經過日本商人開發成一個商城，取名「樂天地」，地號就是本町三丁目一番地。裡頭包含的數十家店，全屬於同一個地址。尚美閣就是樂天地的一員，面向今天的漢口街。

尚美閣專賣土產，珊瑚本是台灣土產大宗，因此兩枚紀念章都有珊瑚的蹤跡。一是直接文字寫「台灣珊瑚」，另一個在章的下沿，不敢或忘似的刻上珊瑚圖案。

台北市土產店的紀念章更常圍繞在原住民的主題上。原住民的木雕、織布、佩刀，都很受喜愛，對日本觀光客來說，也比閩客族群的特產更具備「南國情緒」，更符合他們對島嶼的想像。尚美閣紀念章描繪的就是日月潭原住民部族水社的獨木舟和「杵歌」。

日本時代，杵歌是日月潭著名的觀光節目。先挖凹穴，再搬石頭覆蓋，上放待搗的米穀。一群婦女站立圍住，每人拿一根長木杵，兩頭粗，中段削細，方便手握，搗出高高低低的咚咚聲。一旁還有幾位女性蹲地，以一尺長左右的竹筒敲地，宛如伴奏。兩相配合的樂音在遼闊的湖山間迴盪，被認為是一大勝景。 *

Original Size（原寸）
●↗ D（直径）60mm
■↑ H（高さ）55mm×W（広さ）50mm

↘
尚美閣的一枚紀念章上，
描繪的就是照片中部族水社的「杵歌」。

牌上標示的「樂天地」，是當時繁華的商業區，
在今天的重慶南路、漢口街一帶。

龜甲萬

きっこーまん

龜甲萬醬油不是台灣原生的品牌，日本時代傳入，到了一九二九年，台灣經銷龜甲萬的代理商聯合成立「龜甲萬醬油販賣株式會社」，紀念章斜斜的那一排字就是這個社名。

龜甲萬不只有醬油，紀念章上，三個廚師除了抱著醬油，也抱著味噌和「味淋」（一種日本調味料，有米酒的成分）。

依一九三二年的台北市地圖，龜甲萬販賣會社就在明治旅館左手邊，向著開封街。地址「本町三丁目一番地」，是一個有趣的地號，被好多商店所共用，包括明治旅館、森田商會、矢野商店。事實上，由今天重慶南路、開封街、懷寧街、武昌街圍起來的區域，都屬於本町一番地，日本時代曾是一個商圈，建築設計有一致性，而且有一個漂亮的名字「樂天地」。裡頭有雙十字交叉的窄巷，踏步其間，斑駁的水泥牆，仍可以聞到些許舊日的味道。 *

↙ 台博會場內置放了許多長椅，椅背可見不少龜甲萬的廣告。

Original Size（原寸）

■↖ H（高さ）14mm×W（広さ）19mm

■↖ H（高さ）78mm×W（広さ）35mm

天
下
油

台灣博覧会記念煙草
大家向好評煙草
AKEBONO
天下一品
萬
醬油

花家ホテル

はなやほてる

（花家旅館）

天漢口街一段四十五號為大眾銀行，一九三五年當，那裡是本町三丁目十番地，矗立一家嶄新的旅館，造三樓高，兩年前剛完工。

台北城內近火車站，大小旅館雲集，像日之丸館、朝號，都是日治初期即存在的老字號。也有三〇年代才現的，例如山梅館。這家年輕旅館「花家」滿特別，舊旅宿改名脫胎而來。

一百多年前，台北市內有許多供長住的「下宿」，其，三橋屋主要吸引低階的日本官員入住。也會有從日剛到台北找工作，舉目無親可靠，就會先住宿泊費便的三橋屋等待機會。像二十二歲的前川，就登報說他學畢業，要找文書工作，最後留下聯絡的方法是「三屋」，電話五五二。

到了一九三三年，三橋屋已經營運二十幾年，因緣會，「伊藤商會」願意投資五萬圓，三橋屋便蓋起新。經營人名叫「中地ハナ」，ハナ就是「花」，更名「花」，可能源於此。

重整再出發，營業之初，花家登報宣傳，強調堅持不「茶代」（小費），現代人還能理解；標榜浴室從早就有水，這一點就可愛得難以想像了。 *

Original Size（原寸）
●↖ D（直径）47mm

朝陽號

あさひごう

日本人很會組織團體，例如台北幾家餐館的廚師料理人，日本統治台灣才兩、三年，植根尚淺，他們已經成立「組合」(類似公會、工會)，並且寫好規約，若有違反，還會罰款，一點也不馬虎。

台北市有「宿屋組合」更是當然了。台灣博覽會前一年，這個旅館同業團體摩拳擦掌，準備迎接難得的旺季；不只台北市步伐齊一，也去找高雄、台南的業者，大家共思策略，看如何吸引觀光客。這個台北市宿屋組合的領袖「組合長」就是「朝陽號」旅館的老闆。日本人重輩分倫理，可見朝陽號的地位與老資格。

朝陽號是日本時代日本人開設的第一家旅館，位於本町三丁目三番地到十番地，佔地廣大。店號摘取自創辦人朝比奈正二的姓氏朝比奈。一八九五年六月，日本開始統治台灣，朝比奈正二手腳很快，七月就先向台灣人租台式房屋，改裝開張做生意了。據一九〇一年的《台灣商報》指出，朝比奈用五、六年的時間，建築新穎的本館和別館，是當時到台灣旅行的旅宿首選。朝陽號的庭園種了四、五十株的梔子花，香飄客室。客房內，牆上則掛有名家畫作，像是跨十七、八世紀的浮世繪名家西川祐信的山水畫、十八世紀圓山應舉的山水畫、當時的西条派畫家野村文舉畫的日出松。 *

Original Size(原寸)
●↖ D(直徑)60mm

攝津館

せっつかん

九二三年，郵輪「信濃丸」停靠基隆港，走下來一群
臉孔白人，一行十二人。這樣的陣仗在九十幾年前的
灣不太尋常，報紙記者馬上追蹤。原來他們是「羅西
人」，亦即俄羅斯人。進了台北之後，他們入住火車
前、今重慶南路一段頭的旅店「攝津館」。

這些俄羅斯人並非探險家、觀光客，也不是來開會的
員或參訪的宗教團體，記者探訪後，知道他們的職業
「羅紗屋」，賣西裝布料，而且是肩扛著布料沿街叫賣
「行商」。

從俄羅斯遠道來台灣的街頭賣布，聽起來有點不可思
。絕不是有利可圖，不惜路途遙遠，背後原因其實藏
時代擺布的蒼涼。

上個世紀的一〇年代中期，第一次世界大戰打得很
著，俄羅斯連連敗戰，國內經濟問題叢生，缺食、罷
、物價漲，內外壓力推積成一九一七年的大革命。沙
退位，接續的不是美好新時代，而是內戰。一個個小
的人民，雙手無力阻止瘋狂的浪潮，只有外逃。中
、日本，乃至於台灣，戰前才會有偶然撞見俄人扛布
叫賣的街景。

台南的代書孫江淮在回憶錄指出，他在台南海水浴
遇見一個白俄人，「只會一點日語」，四處賣布，曾經
善化來賣，「我看他還滿可憐的，沒有父母，沒有朋
，沒有熟人」。

不僅台南，一九二三年的報紙說，除了攝津館的十二
旅客，同一時間，也有五個俄羅斯人往宜蘭，兩個往
中賣布去了。 ＊

津館一〇年代初期的影像。

正中央樓房即攝津館。
了三〇年代，攝津館前的本町大街洋樓林立，充滿都市的氣息。

Original Size（原寸）
●↖ D（直径）40mm

成大
區域地圖
台灣銀行
長官官邸
迎賓館
滿洲館
愛知館
音樂堂
演藝館
圖書
電力
總督
日本勸業銀行支店
滿洲館
特賣
台中案內所
朝陽號
日本生命建築場
興業賣店
賣店
36
37
31
35
33
32
34
30
28

*

東本願寺
三井茶工場
廣島物產
吉田商店
昭和新報
伊藤葬儀部
台灣商會
國際館
大世界館
モンパリー
永樂
小安
市西門場
稲荷神社
陸橋
台灣日日新報社
公設質舖
產業館
林業館
救護所
案内所
交通特設館
憲兵隊
府縣館
福岡館
三井館
日鉄館
西本願寺
偕行社
衛戍監獄
高砂
太陽
メトロ
38
39
40

大丸旅館

だいまるりょかん

慶南路一段兩邊，多屬本町，但過了衡陽路，台灣銀
對面的區塊，已屬於榮町一丁目。大約今天重慶南路
段一二一號東方大樓附近，榮町一丁目十三及十四番
，日本時代，有一家旅館。原本是「二葉館」，一九三
年代，賣皮箱、皮鞋的森田商會收購，改名「大丸
館」。

一九四一年九月，大丸旅館走進五、六個男人，行頭
眾不同，他們是日本電影公司「日活」的團隊，正在
攝一部叫《海の豪族》的影片。導演荒井良平，演員
川小文治，帶著大攝影機，剛從屏東南大武山的「カ
アン社」（今佳平部落）取景回來。接下來準備拍攝布
戲，就收工返日。

日本時代，家戶還沒有電視，到戲院看電影是普遍
熱門流行的休閒。除了娛樂性的電影片，還看一種官
主導的新聞影片，彷彿今天透過電視新聞了解時事一
，只不過，宣傳意味濃，特別四〇年代戰爭時期，更
緊貼政治正確，盡播戰情了。 ＊

Original Size（原寸）
●↖ D（直径）40mm

桐田商會

きりだしょうかい

紀念章下方的鳳梨、木瓜、香蕉和蜜柑，無意懸疑，桐田商會正是一家水果店。不過，桐田可不是現在市場常見的普通水果小販，所屬員工有十幾人，屏東還有自己的果園，種鳳梨和木瓜，宣稱不用經過中間批發商之手，便宜多多。桐田可說是戰前台北最大的水果店商。

桐田的紀念章上，以台灣博物館陪襯水果，正因桐田就位在博物館左翼側不遠。如果從博物館背後走出二二八公園，最近的出口是衡陽路，路的右邊，目前還留了幾間紅磚老建築，衡陽路十一號的永和豆漿店，就是八、九十年前桐田商會所在。＊

Original Size（原寸）
● ↖ D（直径）60mm

↘
圖中最左邊的招牌就是桐田商會與江山樓分店比鄰而居。

歳末内地御贈答に
ポンカンの御用命は果物專門の

台北市榮町
電話一六五六番

桐田商會へ

例年の通り神戸出張内地再檢査濟を嚴撰して御指定通り發送致しますから絕對安全に到着致します

定價表

一、椪柑小包（十八個乃至二十個詰）化粧箱入（一貫六百匁迄）送料共　三圓

一、椪柑鐵道便

	九州關西方面	東京方面
三十個入送料共	四圓	四圓二十錢
五十個入同	六圓五十錢	六圓八十錢
百個入同	十二圓五十錢	十三圓

其他白柑・西螺のザボン・小茄子・筍・屏東木瓜・野菜・カラスミ等豊富に取揃へて居ります御用命の程御願申上ます

島内御贈答にポンカン竹籠詰果物盛籠

便利な商品券も御利用下さい

田商會做土產生意，
椪柑還能直接配送到
京、九州、關西等地。

*

金益發食堂

きんえきはつしょくどう

金益發食堂位於榮町一丁目二十二番地，面向今衡陽路，左手邊是重慶南路口的新高堂書店(現為日藥本舖)，桐田商會則在斜對面。

依一九三六年台北的電話簿登載，金益發電話號碼為二四一一，職業類別歸在「台灣、支那料理」，紀念章選擇紅色，似乎呼應了中台偏愛大紅喜氣的文化。

與金益發同類的餐飲店共有三十六家，其中，大稻埕的江山樓、蓬萊閣是首屈一指的大酒樓；樂仙樓位於城內(今博愛路與開封街口)，有豪華的門面；來來軒強調是「台灣料理」，本店在西門市場(今紅樓劇場)，非常活躍，時常刊登廣告。其他就如同金益發，不甚知名了。但是，瀏覽名單，廣香居、三仙樓、四海樓、小香居、春風樓、醉仙樓、福星樓、聚然樓、南星樓，各種中華風的店號，在日本旗統治下的台北料理不懈，讓人對三〇年代的台北飲食世界充滿豐富的想像。

到了一九三六年版工商人名錄的記載，同樣榮町一丁目，電話也相同，這時的金益發不被歸為料理屋或飲食店，而是食料品雜貨類，同時也販賣罐頭、水果、菓子。負責人是位女士，名叫許鄭氏鳳。 *

↑
來來軒在台博第一會場設有用餐場地，
招牌上大大寫著「台灣料理」、「台北第一名店」。
↙
圖中左側是與金益發同類的餐飲店樂仙樓，
位於今博愛路、開封街口，有豪華的門面。

Original Size(原寸)
●↑ D(直径)50mm

三樂料理店

新高堂書店

にいたかどうしょてん

灣博覽會五十九天期間，民間商家聯手推出最高獎金
萬圓的抽獎活動促銷，這是日本時代史上最高額的抽
金。結果，位於今天衡陽路、重慶南路口的新高堂
店，屋頂上可能有吉星高照，店內的客人抱走了一
圓。

二十五歲的陳增嶽是內科醫生，服務於赤十字病院，
院舊址即今台大醫院東址大樓，面向今天的中山南
，和新高堂只隔一個新公園和台北醫院（今台大醫院
德路舊院區）。有一天，他到新高堂花了三十幾圓買
文的內科書和幾本醫學雜誌，就幸運獲獎了。新高堂
及引陳增嶽，除了地緣近，可能也因新高堂是台北最
的書店，書種應該最齊全、多元。

新高堂創辦人村崎長昶來台灣來得非常早，他出身熊
，原先打算去朝鮮，還到慶應義塾（慶應大學前身）修
韓語，但甲午戰爭後，日本領有台灣，他就轉向台灣
一八九五年六月，第一任台灣總督樺山資紀從東京
橋搭火車時，村崎也在同一列車上。 ＊

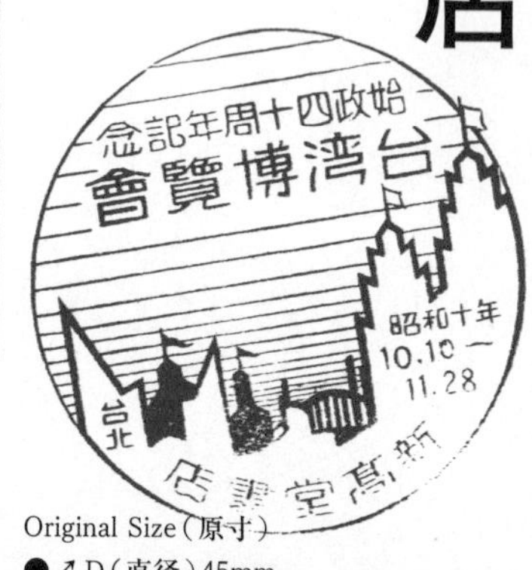

Original Size（原寸）
●↗ D（直径）45mm

堂是台博當時台北最大的書店。

生蕃屋

せいばんや

清代以漢人眼光看待原住民，依漢化程度區分為生蕃、熟蕃。日本時代沿用，統計各種族人口時，把本島人分為漢人、生蕃、熟蕃。後期則以「高砂族」替代生蕃，「平埔族」替代熟蕃。蕃字有貶意，隱含著歧視，現在已經被唾棄。

日本人鈴木新兵衛於一九一〇年開設「生蕃屋」，到了一九四一年，順應官方的皇民化，要把原住民也「錬成」皇民，不再稱蕃，於是改店名為「台灣物產館」。

不論是生蕃屋或台灣物產館，賣的都是紀念章上特別標記的「台湾のおみやげ」(台灣土產)。兩位原住民的背影，似乎意謂生蕃屋主打原住民概念的土產。日本時代，原住民的刀、衣服、陶器、日用品，都是具台灣風情的代表性土產。另外土產店還會特別宣傳一項商品，把原住民織的布料拿來當桌巾，很受日本人歡迎。

生蕃屋由西門市場(今西門紅樓)起家，後來拓向人潮更盛的城內，在榮町(衡陽路)、本町(重慶南路一段)都有支店門市。

*

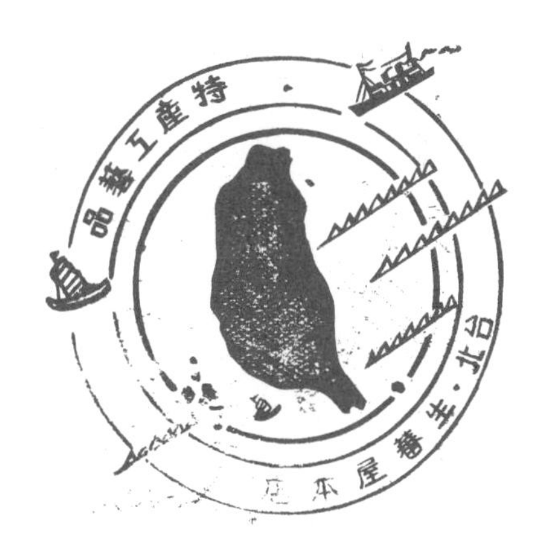

Original Size(原寸)
●↑ D(直径)50mm
■↖ H(高さ)33mm×W(広さ)40mm

小塚
こづか

塚的紀念章真是叫人驚艷。

不是普通的藍，不是普通的紅，而是有現代感的桃形狀不是普通的方，不是普通的圓，而是軟管油畫料。圓形店徽中的四方塊，由小塚的「小」字三筆畫成，更是設計感十足。

小塚是一家「文房具」（文具）專門店，洋畫相關材料是商品的大宗，由小塚家族經營。本店位於榮町二丁十五番地，原址即今衡陽路四十六號之四八的國際時公司。另外在不遠處的京町（博愛路）還有第一支店。間支店的建築到今天仍然站立在原地，非常容易辨；牆面上方開窗如三顆子彈，頂樓有個一層樓高的六形凸出物，都是小塚舊貌。

如果一九三〇年從總統府方向走進京町，眺望小塚支，樓頂凸出物上面有幾個片假名，「ライトインキ」，就是英文的 Right Ink，是昭和初期知名的鋼筆墨水牌，小塚支店的頂樓硬長個凸出物，或許是老闆別出心，讓整個建築看起來很像一瓶墨水。

小塚和另一家文具名店「江里口商店」一樣，都兼營刷業務。所以，走入小塚店內，抬頭可見幾個大大的文字母拼成「NOTEBOOK」，應該有自印自售的筆本。　＊

了文具外，小塚本店也兼售各種特殊用紙，設有印刷工場，代為印製各類書籍。

令京町的小塚支店，細看樓頂凸出物上面有知名鋼筆墨水品牌的名稱。

Original Size（原寸）
■↖ H（高さ）83mm×W（広さ）37mm

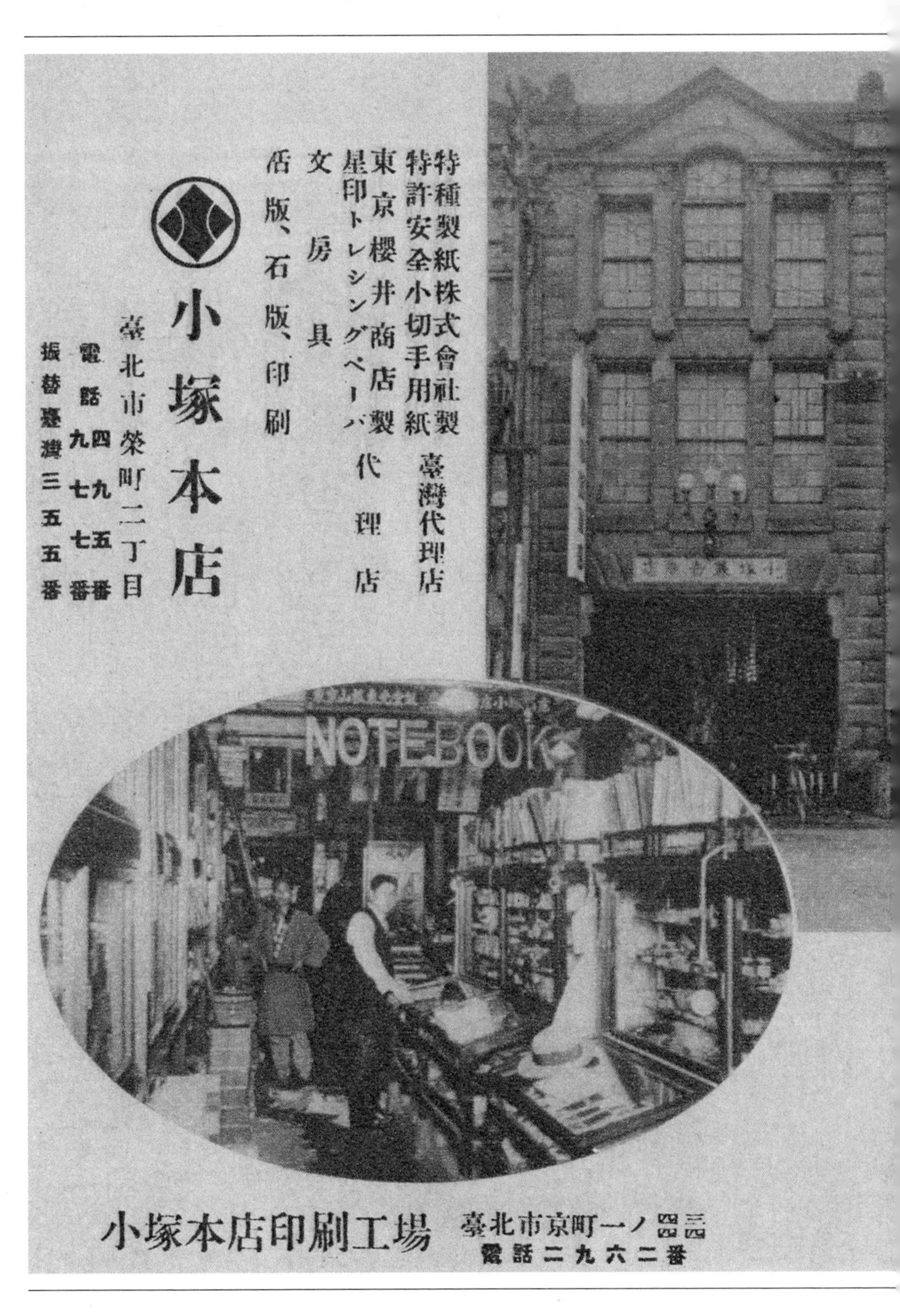
特種製紙株式會社製
特許安全小切手用紙
臺灣代理店
東京櫻井商店製
星印トレシングペーパ
代理店
文房具
活版、石版、印刷
小塚本店
臺北市榮町二丁目
電話四九五番
九七七番
振替臺灣三五五番
NOTEBOOK
小塚本店印刷工場
臺北市京町一ノ四三
電話二九六二番

大阪商船台北船客案內所

おおさかしょうせんたいほくせんきゃくあんないしょ

九二三年，日本皇太子到台灣，搭船來；一九二一，美國職棒隊來台北打友誼賽，搭船來；一九三五，福建省主席陳儀來台參觀博覽會，搭船來；一九四年，李登輝到日本念京都帝大，也搭船去。現在來去灣，都是飛來飛去，日本時代，雖有民航飛機，絕大數人仍是船去船來。

當時船運公司有兩大，大阪商船尤其大。基隆港和台火車站前都有氣派獨棟的會社建築。單單兩處，還不以涵蓋龐大的業務量，一九三五年博覽會當時，全台有十八個大小據點，屏東、新營、新港、員林、宜、蘇澳、台東，都有售票處。台北市最熱鬧的都心榮町二丁目」，更不能不插旗；一九三四年十一月二十日，「船客案內所」正式開張。到案內所買票，票可免費送達。行李也可以配送到港口，不用自己一路扛去。

＊

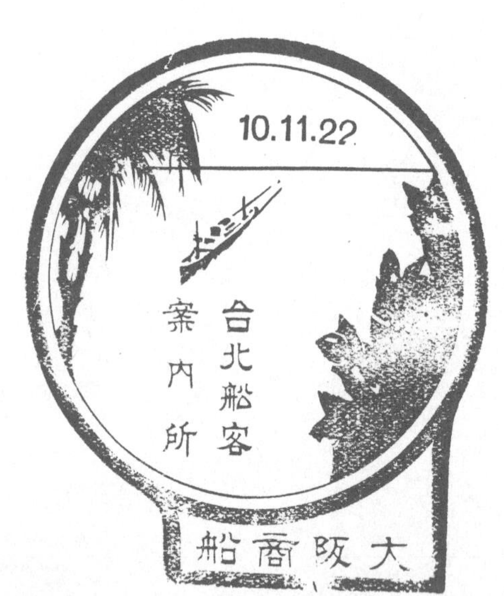

Original Size（原寸）
■↖ H（高さ）68mm×W（広さ）60mm

一九三五年大阪商船的簡介來看，了韓國、中國、菲律賓，航線還擴及東南亞，到非洲、南美與歐洲等地。

阪商船台北船客案內所座落在北市最熱鬧的都心「榮町二丁目」。

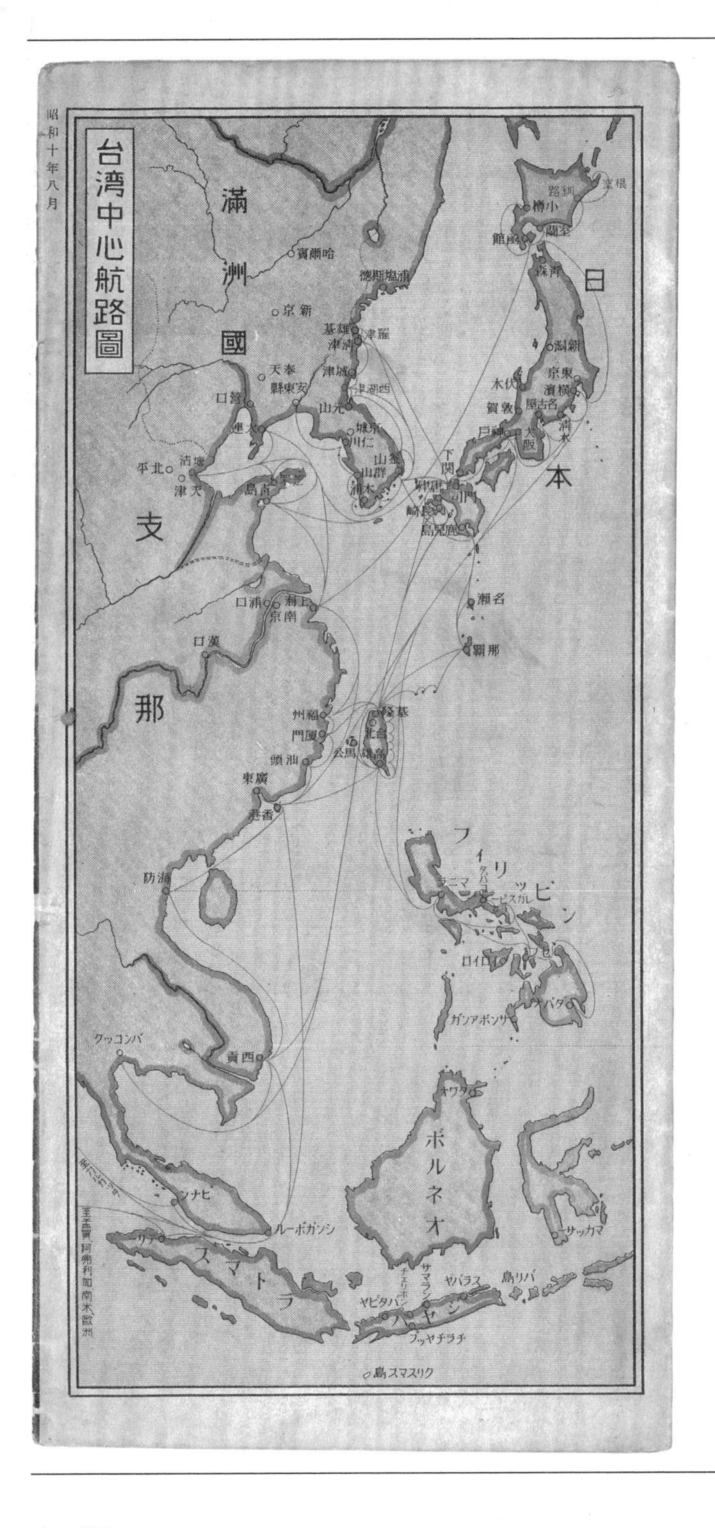
台湾中心航路圖
昭和十年八月
滿洲國
支那
日本
フィリッピン
ボルネオ
スマトラ

御菓子
朝日堂
文明堂書店

臺北市榮町二丁目通（臺北）

2CHOME SAKAECHO STREET, TAIHOKU. (26)

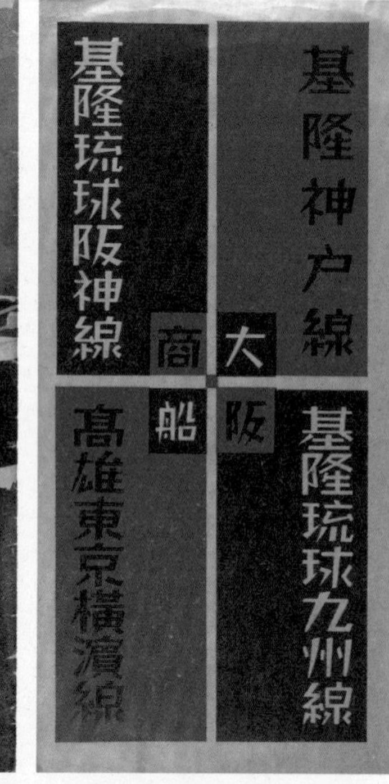

↗
阪商船
灣航路的「案內」(指南)。

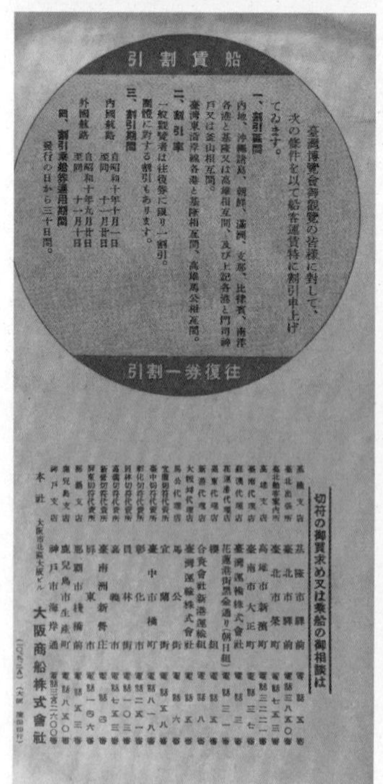

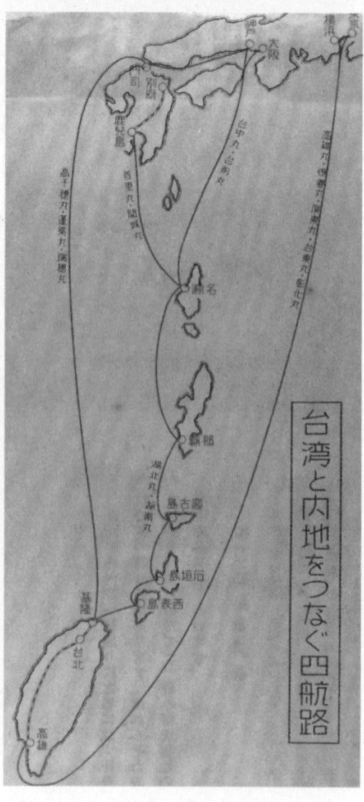

↗
時往來台日的航運便利，
線有從基隆出發到神戶、
琉球到九州、經琉球到阪神，
及從高雄出發到東京橫濱等。
灣博覽會期間，
買來回船票可享九折優待。

榮町藥局

さかえちょうやっきょく

榮町藥局，顧名思義，位於榮町。榮町就是現在衡陽路兩側，從二二八公園懷寧街口起，到中華路口，分為四個丁目。榮町藥局位於二丁目二十五番地，即今衡陽路二十三號，非常靠近重慶南路口，正式店名為「中村杏春堂」，日籍老闆姓中村。

日本時代歷經五十年，時間不算短，期間並非一個模樣，各方面都有劇烈轉變。一般都知道，日治時期台北最熱鬧的都心是榮町，號稱台北銀座，但實際上，榮町之名，要到中期以後才有。

榮町二丁目這一段，在一九二二年以前，衡陽路北側分屬府前街四丁目、北門街四丁目，衡陽路南側屬文武町一丁目。一九二二年四月一日起，台北市啟動新町名，榮町才誕生。

改新町名之前幾個月，有許多準備作業，譬如二月就要開始貼新地址在各戶門口。不像現在用鐵片，當時印刷好新地址在紙片，警察、郵差、市府官員、稅務官和地方保正、甲長（類似里長、鄰長）等八人一組，挨家挨戶去貼。

部分學校也跟隨改名，像是新誕生「東園町」，町內的加蚋公學校就改名東園町公學校，也才有今天名叫東園的國小。

最受衝擊的是一千五、六百位人力車夫，他們許多是新手，更多是非日本人，必須快快背清楚新町名的位置和念法。 *

Original Size（原寸）
● ↑ D（直径）58mm

大正堂
たいしょうどう

念章上，屋頂飄著的長條旗幟，上頭寫的日文漢字和
假名，也可寫成「大正饅頭」。日文跟中文都有饅頭，
意義不盡相同。雖然都是炊蒸的麵粉製品，日本饅頭
んじゅう）還源自中國，但日本饅頭體積小且包著
，屬於和菓子的一種。

踏進榮町二丁目的大正堂，左手邊的櫥窗，就有大大
四個字「大正饅頭」，顯然是主力商品，也是招牌。

台北城內有兩個大正堂，皮鞋店的大正堂在京町（博
路），和菓子店的大正堂位於今天重慶南路、博愛路
間的衡陽路單號側。

菓子店大正堂的紀錄上有好幾個「一」。創建於大正
年，所以取名大正堂。電話更妙，有四個「一」；
門上方釘著電話號碼牌，以中文數字從上而下寫成
一一一一番」。初看真會眼花，數不清幾條橫線。

大正堂另一個「一」可是第一了。據說早期台北店家一
不用紙包和菓子，大正堂講究美觀衛生，率先用薄紙
裝饅頭。

＊

正堂創建於大正元年（一九一二），
賣和菓子。

台北市商工人名錄》的菓子店名單中，
見大正堂是小賣店，非批發商，
話番號一一一一。

Original Size（原寸）
●↖ D（直徑）44mm

業種	取引	住所	商號	氏名	電話
菓子	製	下奎府町四ノ六〇	美成製菓商會	廖溪地	43
和洋菓子	小	榮町二ノ一〇	富士屋	藤堂碩	
菓子(製)	卸	錦町一五〇	三合成製菓商會	陳水木	15
同　製(副)	小	榮町二ノ三一	大正堂	岩松光次	11
同	卸、小	永樂町二ノ九四	新高製菓所出張所	森利吉	
洋菓子	製	下奎府町三ノ五ノ二二	新協榮製菓商會	陳挑拱	
菓子(製)	卸、小	榮町二ノ二六	旭日堂	角正太郎	3
同	小	榮町三ノ一五	梅月堂	大木庄三郎	6
同	製	太平町三ノ一六六	和興齋餅古	林德志 秀々清 姚志禮	
菓子	小	末廣町二ノ一		有村仁次郎	

岩田サンゴ店

いわたさんごてん

（岩田珊瑚店）

九二四年夏天，報紙出現新聞標題，「台灣成珊瑚」，說是基隆彭佳嶼的珊瑚「一躍而名於世界」，而且裡的珊瑚，粉紅色中有白斑，意謂整個漁場的壽命還，還有得摘採。日本的珊瑚船、高雄的漁夫都聞風湧。珊瑚熱燙到基隆市役所（市政府）下令必須事前申許可，拿到許可證的船隻要樹白布旗，並寫上許可號。

日本時代，一波一波的珊瑚熱湧來，岩田珊瑚店的闆就是從報紙讀到基隆發現珊瑚，才動心前進台灣，拓自己的新事業。岩田發展順利，加工品甚至銷到歐，在基隆還有自己的珊瑚船。有一次基隆豪雨，一間灣人劉申土的鐵工場倒塌，岩田的船艇「松榮丸」一二十三歲水夫還出手援救負傷者。

不知道是否看準博覽會的人潮，會前半年，一九三五四月，岩田把珊瑚店遷到榮町三丁目二十二番地，緊挨台灣第一家百貨公司「菊元」，相隔幾間店面而已。＊

Original Size（原寸）

■↑ H（高さ）72mm×W（広さ）35mm

路左側最高的建築物為菊元百貨，
田珊瑚店與菊元僅相隔幾間店面。

九三二年的「基隆市廳舍落成記念展覽會」，
田珊瑚店派出師傅在現場示範珊瑚的加工過程。

田珊瑚店在基隆的展覽會展出琳瑯滿目的珊瑚加工品，
在牆上的標語寫道：技術優秀，價格低廉。

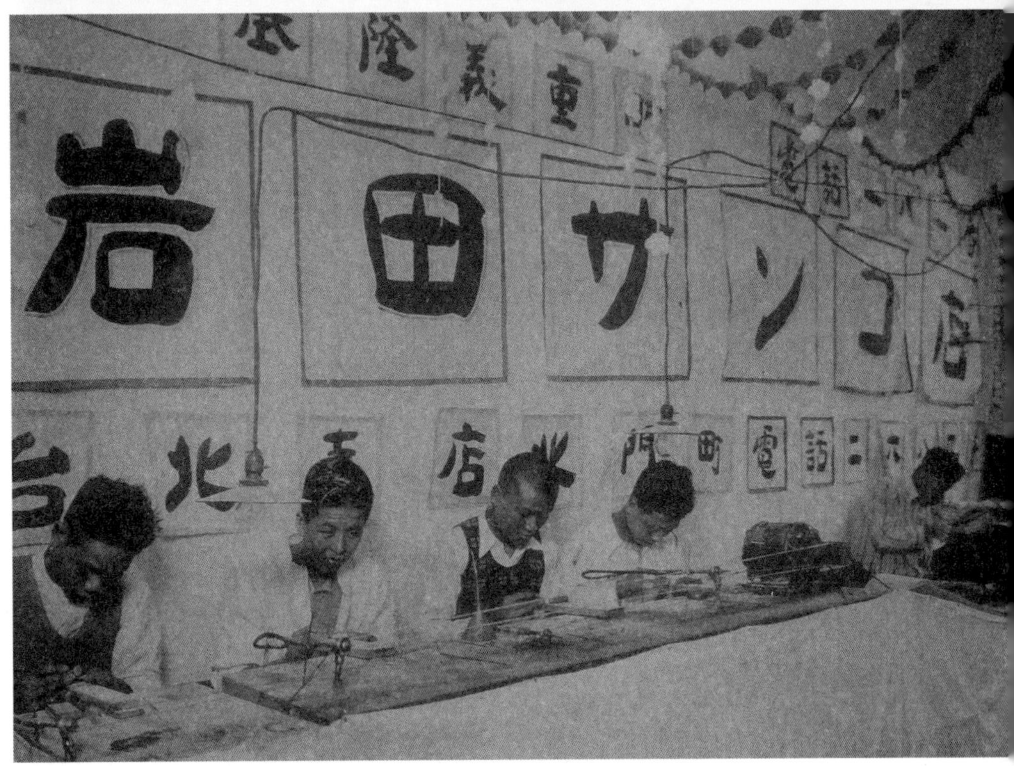
岩田サンゴ店

全商品とも

技術の優秀と
代價の低廉
全商品とも賣ります
岩田のサンゴ

ヒカル食堂（光食堂）

ひかるしょくどう

本人愛打的柏青哥（パチンコ，Pachinko），二〇年代
大阪就開始了，三〇年代在部分城市還大流行，當時
會以漢字稱為「自動球遊機」。台灣這邊，台北市城內
町三丁目的「ヒカル食堂（光食堂）」也曾引進。不僅
青哥，光食堂店內還有賣小零食的自動販賣機，是一
很光鮮活潑的商店。

光食堂本質上還是飲食業，以冰淇淋、冰棒為招牌，
過，也有蛋糕，還推出過三十錢的上班族午餐，壽喜
、烏龍麵、天津栗子都曾出現在廣告上。

如果回到一九三五年博覽會當時，光食堂實在是一
年輕的生命，兩年前的三月三十日才誕生在榮町三丁
，舊址即今衡陽路八十一號。在此之前，這一側是一
片空地，博愛路口的菊元百貨店率先蓋起高樓，並於
九三二年十二月三日開幕。接下來，西鄰建起一排同
式的三層樓，光食堂就在隔年三月進駐。四月，岩田
瑚店也從基隆搬過來，當起光食堂一牆之隔的鄰居。

光食堂發展迅速，博覽會當時，除了榮町三丁目的本
，西門町和太平町另有兩家分店，一九三六年，再增
榮町二丁目支店。一家非大商社的普通行號能有四處
點，形成連鎖，在日本時代，極為少見。 ＊

例年通り本日より始めました
天津産
平壌産
甘栗
甘栗
豪博のお土産には是非
㊥の甘栗を‥
神戸肉
かしわ
すき焼
電氣
よせ鍋、鯛ちり鍋
うどん類一式
臺北市榮町
ヒカル食堂
アイスクリーム

喜燒、什錦火鍋、鯛魚火鍋、烏龍麵、甘栗
曾出現在光食堂的廣告上。

Original Size（原寸）
●↑ D（直徑）48mm

吉井印房

よしいいんぼう

日本時代，台北城內幾條幹道，洋樓林立，彷彿歐美街道，衡陽路兩側更是極繁華之盛，被稱為台北銀座。話雖如此，制式觀光照片老是拍榮町二丁目，要不就從二丁目與三丁目交叉口（衡陽路與博愛路口）左拍右拍，銀座之說，彷彿專指二、三丁目。榮町四丁目像是個遠房親戚，從鄉下來台北借住謀事，大家族拍照時，總是站在最後排邊邊；好像有關係，卻又沒地位。

吉井印房就在這個視而不見的榮町四丁目內，老闆吉井圓一，地號為三十、三十一番地。從一九三五年的地圖看，衡陽路雙號到了最底，就是吉井印房，所以，反從中華路、西門那邊看衡陽路，吉井就變成右手邊的第一店了。

吉井印房推出了兩枚台博紀念章，其中一枚上方有一句口號，為刻章業宣傳。「印章ハ金ト命ノ守神」，譯成中文為「印章是金錢和生命的守護神」。印章是否能守護生命，有待思量，但絕對是看守錢財的神。日治初期，一九〇六年開始有印鑑制度，買了房屋、土地等不動產，都需要印鑑才能登記、過戶，戰後沿用至今。 ＊

Original Size（原寸）
●↖ D（直徑）63mm

臺灣日日新報社

たいわんにちにちしんぽうしゃ

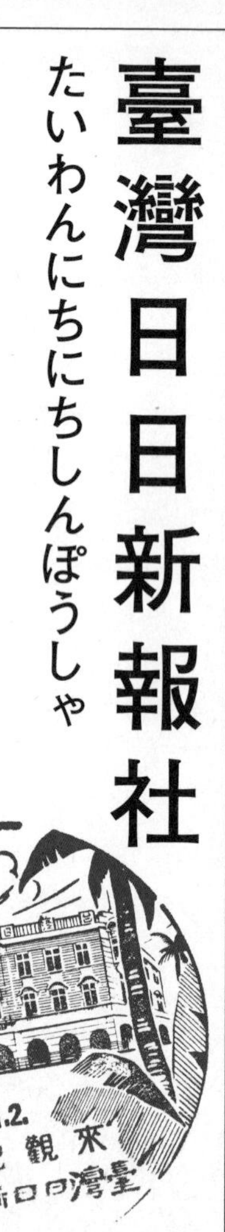

Original Size（原寸）
●↗ D（直径）48mm
■↗ H（高さ）37mm×W（広さ）47mm

灣博覽會前三年，最大的報社《臺灣日日新報》舉辦頁本土文藝競賽，徵選「台灣民謠」。所徵民謠，不是曲，而是歌詠台灣的日文詞謠。

三百六十九篇進場比較高下，結果出人意表，第一竟是台灣人，其他第二名、第三名、佳作五名，全是本人。這位台灣人馮正樞戰後擔任過法院院長，當時就讀台北高等學校，報名登記的聯絡地址為古亭町的「星寮」，即台北高校的學寮，也就是今天台北市和平路台師大校園內的樸大樓。

臺灣日日新報社不只出報，另設有體育用品部，販球具等各種體育器材。臺日社辦活動很積極，是一個目多元的媒體。一百多年前，就辦過播放南極探險影的活動。也是超過一百年前，台北舉辦了大型馬拉松，是臺日社主催。一九二八年，這個報社也利用自有體可宣傳的優勢，辦過台灣八景票選，攪熱了全島，地投票如大雨，讓報社都忙到來不及點票數。一九三年，再辦全島縱貫道路汽車競速，也是大大熱鬧了回。

日日新報位於榮町四丁目三十二番地，即今衡陽路與華路口，戰後被接收改為《台灣新生報》。日治一開，台灣馬上有《臺灣新報》和《台灣日報》，兩報主事分屬薩摩藩、長州藩，向來不合，一八九八年，新任督兒玉源太郎看不過去，他的民政長官後藤新平找來屬守屋善兵衛整併成《臺灣日日新報》。日日新報從此就一直有總督府官報的架勢，雖然形式上仍是民間資的會社；股東也有台灣人，日治後期，板橋林家富豪熊徵就掛名監察人，他的總管「許丙」也是日日新報的締役（董事）。 ＊

灣日日新報社新築的留影。

灣日日新報》第一任社長守屋善兵衛會德文，翻譯了許多德文書。今東京二十三區圖書館中，唯一冠人名的「守屋圖書館」，來即因該地原為守屋善兵衛宅邸。

北商業學校學生
臺灣日日新報社的印刷工場見學。

了台日社，台中地區以台灣新聞社最具規模。

出口商店

でぐちしょうてん

日本時代部分日本人商店，雖然被國民政府接收，但售出轉給民間，新主人仍可能在原址保留原事業，像是新高堂書店、太陽號書店，戰後變成東方出版社和商務印書館。本町的旅店攝津館，後來也變成華美大飯店。

榮町（今衡陽路兩側）的出口商店，原是一家「履物店」，賣日本木屐、地下足袋（工作用的兩趾黑布膠底鞋）以及搭配和服穿著的「草履」等等。八十年過去，物換星移，中途不知已經變了幾回面貌，目前竟然又回歸為一家鞋店。

依一九三五年的工商地圖，出口商店大約就位於衡陽路一百二十四號。此地目前是法國老牌膠靴 AIGLE 的台北門市。

老闆姓小石川，何以取名出口商店，箇中道理難解。但如果穿越時空，把出口商店放回八十幾年後的今天，叫做出口商店，眾人可能也頻頻點頭，覺得取之有理，因為一踏出西門捷運站四號出口，出口商店就在望了。＊

Original Size（原寸）
●↖ D（直徑）52mm

城内
專賣局煙草工場
台北驛
鐵道ホテル
知事官邸
州購買
第二高等女學校
警察會館
台北州會館
肥後屋旅館
愛國婦人會
台灣興信所
日本キリスト教會
北海道館
鹿島ビル
向陽クラブ
台衛新報
三浦屋
浦田組
台灣煙草會社
東都書籍會社
ホテル合宿
台南新報
台北館

大和町
台北郵便局
公會堂
滿洲館
南警察署
朝陽號
日本生命
鐵道部
官舍
42
43
44
45
46
47
49
50
51
52
53
54
55
56
57
58
59
60
61
62
63

文華堂

ぶんかどう

譜老闆松本行秀開設的文華堂印舖，如紀念章所載，
於台北「都通り」，即今沅陵街。日文的「通り」，意指
路」。「都通り」是別名，整條街其實分屬本町（重慶
路一段）和京町（博愛路），文華堂就屬於本町。但行
區域分屬並不妨礙大家對都通り具有一體性的認知，
告也很常見到商家得意似的表明自己屬於都通り。
和沅陵街平行的北方還有三條街，依近而遠，分別是
昌街、漢口街、開封街。一九三四年，一度效法，也
別號，扮作「春日通り」、「中通り」和「寶通り」。六
一日午後四點半，還在京町三丁目的一角開了盛大的
名慶祝會。裝飾了國旗、提燈、櫻花，還有園遊會攤
一般的「模擬店」，台北州知事野口敏治和台北市尹
市長）松岡一衛也都到場。
但實際上，再過十二年，日本時代就結束了。幾個新
名似乎還來不及深植人心，時局就進入戰爭的簡樸晦
另外，推測起來，這幾條街早已一半屬京町，一半
本町，想要獨立成街，必須打破或脫出原屬的地域組
，然而日本商家的團體意識強，總是團體行動，要已
京町的商店，另屬春日通り，可能不是那麼簡單，也
有太大實質的效益。 ＊

九三〇年前後，台北「都通り」（今沅陵街）。
華堂印舖就在這條街上。

Original Size（原寸）
●↗ D（直徑）48mm
■↖ H（高さ）62mm×W（広さ）50mm

谷山商店

たにやましょうてん

劍道頭盔為型刻畫的紀念章，大概就可推知谷山是販劍道相關裝備的商店。劍道為日本傳統武道，因此像山這樣的店，日文專稱「武具店」。

事實上，日本對劍道人全身的裝備都有專稱，整個頭叫「面」，其中，金屬做的臉罩稱「面金」，保護頭頂、朵，垂到雙肩的是「面布」，避免被刺致命喉頭的護片稱「顎」。

谷山武具店位於京町一丁目四番地，即今天衡陽路到陵街之間的博愛路上。日本時代，中學都有劍道部，學生也常被要求在柔道和劍道兩項武道中擇一學習。警察，更要鍛鍊劍道。

一九三七年，中日戰爭開始後，時局更趨軍事化，學有更多的兵隊鍛鍊，所需裝備成為谷山的新生意；除面罩、背囊和號令用的小號之外，還有機關槍和擲彈（榴彈發射器），已不單純只賣劍道護具和竹劍了。＊

Original Size（原寸）
■↖ H（高さ）55mm×W（広さ）50mm

文林堂

ぶんりんどう

文林堂是京町一家老印舖，就位於今天博愛路和沅陵街口，與世運麵包店隔著沅陵街。

文林堂也是日本時代台北能見度最高的印章店。花錢登廣告不太是小資本印舖會做的事，但是，文林堂很例外，一九一〇年代中期，《台灣日日寫真畫報》雜誌就可瞥見文林堂的廣告，也可窺知除了印章，當時也賣眼鏡。

文林堂為了博覽會推出三枚印章。以地球為背景，代表日本統治台灣四十年的「40」，大大貼在世界地球上，更顯出台博的氣勢。

另一枚，一個充滿力道與速度的弧線，由箭頭帶領，衝出一個大轉彎，指向文林堂。弧線上寫的有「秋ノ台湾博」(「秋天的台灣博覽會」)，「印章ハ」加上箭頭指向文林堂，意為「印章就是文林堂」，隱含著要找印章店，唯有文林堂的自我宣傳。

*

↗
從文林堂一九一〇年代的廣告，可窺知除了刻印章，也賣眼鏡。

Original Size（原寸）

■ ↑ H（高さ）40mm×W（広さ）41mm

■ ↑ H（高さ）104mm×W（広さ）77mm

野田時計店

のだとけいてん

台北市沅陵街走到了博愛路口，抬頭看見對面的樓，一九三〇年代，那裡屬京町一丁目，有一排整齊的層樓，立體字店號都浮在樓面的橫梁上房，其中一家是「野田時計店」。時計為日文的鐘錶。雖然是鐘錶，野田也賣眼鏡，店前的廣告錐，寫了一句宣傳語，ガネは野田」（眼鏡就是野田）。

野田賣的鐘錶和眼鏡，價格都高於一般日常生活用，一九三〇年代，台灣一年大約有兩萬件左右的竊案，野田被當肥羊盯上，似乎是早晚的事。一九三二踏夏的一個夜裡，野田的二樓，老闆全家睡在沉沉夢鄉，一樓的後面，賊兒翻過水泥牆，用小刀破鎖而到了店內，先切斷電話線，最後站在玻璃櫥櫃前，的物盡在眼前。但櫃上有鎖，不是一開就得手，小偷敲玻璃，破一小洞。到此為止，二樓的安眠依然未受動，小偷繼續行動，用一枝竹條伸進去當釣竿，等他開，野田也少了九十幾件的戒指、手錶，價值兩千多，如果以當時中上等級的月薪三十圓來推算，約當現四、五百萬元的價值了。

被害金額如此大，警察局快速偵辦，請來久保博士科學鑑定，馬上推斷嫌犯吃台灣菜，且依咀嚼情況來，年齡在二十二、三。縮小範圍後，歷經十小時，小落網，野田被竊記才驚魂落幕。 ＊

非整齊的三層樓，野田時計店就在其中。

Original Size（原寸）

■↖ H（高さ）46mm×W（広さ）44mm

洋服
古川

大學堂

だいがくどう

學堂紀念章的直徑不到五公分，小小的圓中，擠進許
比螞蟻還小的字，加上斑馬一般的沙發側影，更加讓
眼花撩亂。不過，也激發出一種追蹤的趣味。

少發椅背後，沒蓋清楚的字是「京町」。大學堂就位
京町一丁目七番地，即今天的博愛路與永綏街口，
建築目前保持完整，只是外觀被塗得遍體五顏六彩。
九三〇年前後，大學堂面向博愛路的店前有電線桿，
線桿旁立了兩個矮錐體，像七爺八爺一樣。矮錐體是
持普遍的廣告用物，而大學堂的廣告錐畫了一個如小
瓶的日本印章圖案，下方寫著店號，一看就知道是印
店。

坐在沙發上的男士，攤開報紙的模樣鮮明，一下子眼
會被吸到上頭的文字，「皆サンノ印舖」，意指「大家
印章店」。但再仔細看，報紙和男士之間，還有東西。
正叼著菸，三朵姿態不同的煙花裊裊上升。

如果這枚紀念章生在當代，大學堂實在有點欠揍；
在不會有商家會用悠哉抽菸來推銷非香菸的商品。不
，回到一九三五年，抽菸是紳士社交不可缺的活動，
學堂讓自家印章與高貴紳士連結，其中可是有幾分
妙。＊

學堂位於左側第二支電線桿轉角處。

Original Size（原寸）
●↑ D（直径）47mm
●↖ D（直径）50mm

クラブ

ヒゴヤ

ひごや

（肥後屋）

念章上的日文「万年筆」，正是圖案所指的「鋼筆」。賣鋼筆的「ヒゴヤ」，其實就是「肥後屋」。肥後為熊本稱，雖然目前資料闕如，無法確知這家鋼筆店老闆的身背景，但可推論他與熊本應有淵源。

台北市城內另有一家「肥後屋」，因是日本式旅館，店以漢字書寫，氣質較為相符。鋼筆卻是西洋舶來品，筆肥後屋捨漢字而用片假名，多少反映一種時髦感。本時代，鋼筆也是衣裝絕佳的修飾品。男士著西裝或學生穿上制服，常常會在左胸口袋插鋼筆，微微露出筆夾，寫盡文質彬彬；有時一枝還不夠，會插兩枝。肥後屋鋼筆製作所位於今天博愛路和永綏街口，與大學印舖緊鄰，兩家店的電話號碼共用「一五三二」番。＊

Original Size（原寸）

■↑ H（高さ）35mm×W（広さ）51mm

↖

日本時代，男學生穿上制服，
常常會在左胸口袋插鋼筆，
微微露出的筆夾，寫盡文質彬彬。

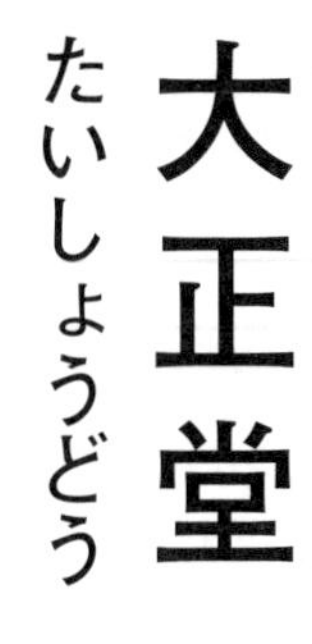

大正堂老闆柳正介的思維與眾不同，店家紀念章竟然設計一個以皮鞋當頭的男士，怪異的「皮鞋人」怪到讓人不由得停下眼睛的腳步，要來搞清楚其中到底在玩什麼花樣。

大正堂位於京町一丁目六番地，大約是博愛路的沅陵街到武昌街這一段之間。在台北的鞋店中，被歸為老舖。早在一九一二年，柳正介就前往大稻埕開店了。那一年，大正天皇即位，大正堂之名可能因此之故呼應而生。

二〇年代，日本的鞋世界產生大變化。去會社上班的薪水階級愈來愈多，需要更多的皮鞋。機械大量製造的皮鞋開始在市面上普遍起來。一九二四年，千代田機械製靴會社創立，以製造「紳士靴」聞名。台北的大正堂就拿到千代田會社的台灣獨家銷售權。柳老闆對機器製鞋很有自信，說是比傳統手工鞋便宜、耐久、不變形。大正堂的銷售網從宜蘭到恆春，南北都有，據說受各機關學校公司銀行的愛用。 *

歲末福引券附大賣出し
流行尖端フレンチ型……
高級紳士禮服用靴・中學生靴
女學生靴・子供用靴・ハンドバック
其他新式流行型靴 鞄豐富荷揃
臺北市京町一
電話一二四番
大正堂靴鞄店

↖
位於京町一丁目的大正堂是「靴鞄店」，賣鞋也賣包。

Original Size（原寸）
■↖ H（高さ）75mm×W（広さ）35mm

かるた家

かるたや

（歌留多家）

Original Size（原寸）
●↑ D（直径）45mm

「かるた」（歌留多）
是日本的一種紙牌遊戲。↙

「かるた家」位於京町一丁目四十五番地，大約在博愛路沅陵街到武昌街之間，以雞蛋糕（卵ケーキ）為主打品。

紀念章上，「かるた家」標榜自家三種商品是台灣名，除了雞蛋糕，「貝羊羹」加入了帆立貝，味道引人好。「メロン羊羹」即「哈密瓜羊羹」。

「かるた家」的店名最值得探究一下。「かるた」是日本種紙牌遊戲，中文翻譯成「歌留多」。一九一五年出生前台灣省文獻會主委林衡道曾說，他在日本仙台留學，非常喜歡玩歌留多，「每天都玩這個遊戲」；因為當男女分際嚴格，只有玩歌留多時，「才有機會與女生起玩」。

歌留多的玩法類似詩詞搶答。據林衡道說，準備一百讀札和一百張取札，前者寫一整首詩，後者只有詩的半部。玩遊戲時，取札先散放在榻榻米上。有人一開念出讀札的詩句，大家就開始找寫有同一首詩的取。當然最後以拿到最多取札的人勝出。

「かるた家」的老闆或許就跟林衡道一樣，也是歌留多，才會以此為店名吧 !?

＊

メロー商閣

めろーしょうこう

（商閣美露）

一九二六年，台北出現一個新零食「メロー」，念音接近「mei-lo」或「美露」。把羊羹放進軟皮小氣球裡，只需一枝小牙籤，往球上一戳，氣球瞬間破掉，近乎無形，羊羹如脫胎迸出，充滿動感。紀念章的圖案和右邊的日文都在說明這件事。

熟悉日本傳統零食的人可能一看就知道這就是有昭和風情的「玉羊羹」。美露確實就是玉羊羹，但台北的美露誕生得更早。

台北美露的開創者是一位女性，也增添傳奇。尾古祿爾先生來自北海道，曾是台南高商的老師，後來因為喜歡讀書，討厭書店不按定價賣書，自己在台北新公園的博物館前開了一家「尾古書店」。尾古祿爾的太太音喜本來只是家庭主婦，有一次聽他們的媒人說東京有美露這種新東西，於是動念想在台灣也試試看。一開始就在書店的一角開賣，取名「メロー商閣」。

尾古太太後來讓羊羹味道在地化，增加香蕉、蜜柑、鳳梨三種台灣特產水果口味，如此一來，商閣做的美露就更具備台北土產的資格了。另一方面，美露的內容物也不限於羊羹，尾古太太做出冰球的美露，也做出草莓果凍的美露。一九三五年博覽會前夕，美露已是台北名物，商閣可以日產六千個。

一九二九年，尾古太太把商閣遷到京町，曾經在三丁目落腳，也一度搬往一丁目，最後再到二丁目。一再轉移，尾古太太似乎不以為苦，她曾受訪指出，最苦惱的事是山寨太多。從廣告也可以嗅得出尾古太太的煩惱，她一而再、再而三在廣告疾呼，山寨粗劣品讓商閣很困擾；請顧客注意辨明「メロー商閣」才是美露界的「元祖」；除了商閣製造以外，其餘都是假貨云云。

人愈紅，尾隨的追人愈多，尾古太太有多苦惱，就知道她的美露有多受歡迎了。 ＊

Original Size（原寸）

■↗ H（高さ）45mm×W（広さ）50mm

夏の冷いお菓子は！

アイスメロー（クリーム入）

ジエリーメロー（イチゴ實入）

一箇五錢

冷いのを御配達します……

京町 メロー商閣

電話二三二五

御注意

近來弊店商品の名稱意匠に紛はしき品質不良なる類似品が發見されますがメロー商閣のメローは菊元デパートと弊店のみで販賣致し其他には一切出して居りませんから弊店の製品では御座いませんん特にメロー商閣のメローに御目を留められんことを謹んで御願致します

京町一丁目 メロー商閣

珍菓

メロー

誰方樣にも喜ばれるお土產物（似物に御注意）

臺北市京町公會堂正面

電話四三二五番

元祖メロー商閣

告裡，「メロー」用圓圓胖胖的片假名字體，
美露的風味更可親可愛了。

報紙廣告可以知道商閣有賣冰美露，
凍美露還放進草莓。

閣常登廣告呼籲顧客注意冒牌貨，
調在商閣本店和菊元百貨公司才能買到真品。

南國物産商会

なんごくぶっさんしょうかい

這一雙牛眼很耐推敲。

初看，眼神充滿挑釁、備戰。再看，眼尾又覺得有幾分媚笑。若往他頭頂上望，牛毛欉中長出一顆鳳梨，彷彿有一場惡作劇正在發生，於是，又覺得他的眼神充滿了厭世的無奈。

會把牛頭、牛角當主圖，因為南國物產商會是賣「台みやげ」（台灣土產）的店家，而牛角是土產的重要項目。楊雲源逛到南國物產時，曾經隨手拿了商品名錄。依名錄，有牛角做成的「柱掛」（日文，意指掛在柱子上的裝飾品）、放置墨水的托盤、拐杖、筆筒等等。

宣傳名錄上的商品琳琅滿目，其他還有檳榔樹做的紳士拐杖、銀雕塑的台灣竹筏、蛇皮做的領帶、椰子做的「水吞」（日文，意指喝水的容器），還有用檜木雕刻的木製點心盒。食品方面，則有現在還熱門的烏龍茶；台灣是水果王國，有許多日本本土沒有的類種，鳳梨、木瓜做成的糖和水果蜜餞，也都是日本時代受歡迎的「台灣土產」。 ＊

商 專
標 用

↗
南國物產商會的商標像圓形印章一樣。

Original Size（原寸）
●↑ D（直径）16mm
■↖ H（高さ）78mm × W（広さ）60mm

臺灣名木 樟。欄芯木製品（主ナル品目）

お盆。莨セット。寫眞立。テーブル。花生。硯箱
衡立。花臺。掛額。火鉢。文庫。置物各種

竹細工

竹根元加工品｛莨セット。菓子器。茶托。湯呑。火鉢。碁石入。インキスタンド。塗盆。花生各種

綱代製｛各種盆。茶器入。タオル入。果實入（竹筏。お籠。舢舨形巻莨入）花臺
硯箱。圖案入壁掛等

みの虫製品｛無類ノ耐久力アリコトニ内地土產ノ先進者トシテ一般ニ賞讚セラレいよ／＼大好評

ハントバック。草履表。蟇口。札入。バンド。莨入。等多種類

菊花木細工（藤蔓に似たる木にて美麗なる花模樣あり）

茶托。菓子鉢。刻莨入。筆立。一輪挿
巻莨入。角形盆付菓子器
（蛇木花生一重二重あり）

椰子の實細工品｛内地ニ見受ケヌ南國特產物デ輕便土產品ナリ

菓子器。莨入種々。茶托。水呑。柱掛。
壁掛。狀差

其他珍奇な品數種々あります

水牛角と加工品｛物產界ノ最高權威者ト知ラレ堅固雅致アリ内地ト產ニ實用向ノ逸品ナリ

ペン軸。酒盃。花生（美術模樣入）一輪挿。柱掛。
筆立。巻莨セット。茶托。インキスタンド。
紙切。ステツキ。飾水牛其他種々

鹿角

刀掛。軸掛用。一輪挿。電氣スタンド
（大小種々あります）

埔里蝶細工品

菓子盆。コツプ臺。莨セット。お盆。
灰皿。其他

蕃人の工藝品

武具。日用具。裝身具。土器。燒物。テーブル掛等

臺灣特產食料品｛美味ト風味ト滋養ニ富ミ包裝優美デ腐敗ノ虞レナク茶菓子用進物用トシテ好適品ナリ

烏龍茶。蜜餞。新高飴。芭蕉飴。オンライ飴
木瓜糖。落花生罐詰。豚デンブ。蒸龍眼肉。
パインアツプル罐詰。米粉箱詰其他

ハントバツク。ネクタイ。鼻緒。帯メ。
ペン軸。卷莨入。ステツキ等

臺灣名木**ステツキ**（現代向きで最も優秀な流行品色々有り）
アヅサ。檳榔樹。欄芯木。黒柿。籐。其
他多種類

臺灣**パナマ**製品
ハントバツク。帽子。札入。莨入。蟇口。名刺
入。手提物。座蒲團。草履表。敷物等

蓬萊彫（原料はヒノキ）
模樣ハ蕃人風俗ト臺灣風俗デ極ク優美デス
茶盆。菓子器。果實入。名々盆。莨セツ
ト。其他各種

珠數。風鎮。置物。カフスボタン。ネクタ
イピン。パイプ。其他種々

銀製竹筏（テツパイ）（臺灣獨特ノ筏模型）（木箱入）
大小種々あります

繪はかき
名所。風俗。
外名版二十余種有リ

剝製の蟻喰大小取揃有り

主なる翫具品
蕃人々形種々。史劇人形。眼のある舟。
竹筏模型（竹製）。舨舢模型。史劇首人
形。竹細工風俗人形。其他

此の外各位の御望に應じ出來得る限り御便宜相計り可申候間多少に不
拘御用仰付被下度奉願上候

品が良くて買ひ安い店

南國物產商會

臺北市京町一丁目三十四番地
（電話二三〇〇番）

↗
南國物產商會的廣告單上，台灣土產商品包羅萬象。
有水牛角製品、蛇皮工藝品與珊瑚工藝品等，「蓬萊彫」是檜木刻製品。

田中珊瑚店

たなかさんごてん

本時代中期，台灣發現珊瑚，珊瑚成為重要土產之。土產店會賣珊瑚，但田中珊瑚店似乎強攻一項。

田中珊瑚店位於京町二丁目一番地，同地還有尚運，兩者的老闆，前者叫田中清真，後者田中清心，大是兄弟。尚運堂生意項目多些，賣珊瑚也賣寶石，兼金銀細工。

京町的範圍包括博愛路兩側，田中珊瑚店實則已經面武昌街，所以紀念章才會出現「春日通」的字眼。

日本時代，台北城內的重慶南路、衡陽路、博愛路條大街都很熱鬧，大店雲集。連通三街的還有幾條路，從南到北分別是沅陵街、武昌街、漢口街、開封。沅陵街早被稱都通り，其他三條街到了一九三四年月一日，也分別取別號，暱稱「春日通り」、「中通り」「寶通り」。春日通就是今天的武昌街一段。

田中珊瑚店的藍色台灣章裡，還有一個日語「振替」，指轉帳匯款。換句話說，如果向田中珊瑚店買貨，之付款，就請匯入台灣的「五四〇七」帳戶。 ＊

尚運堂
田中珊瑚店

おみやげに是非珊瑚(サンゴ)を!!

臺灣珊瑚商聯合組合出品

大奉仕的宣傳卽賣

●品物は各店選り抜きの優秀品のみ
●お値段は絶對安價正札付

場所 第一會場産業館內

田中珊瑚店
臺灣物産紹介所
山一物産販賣所
植田珊瑚店
小島珊瑚店
岩田珊瑚店
生蕃屋本店
以文堂珊瑚店
南珊瑚店
西島珊瑚店

中珊瑚店、岩田珊瑚店等十間同業聯合，台博第一會場的產業館舉辦銷售大回饋。

Original Size（原寸）

■↗ H（高さ）47mm×W（広さ）22mm

■↑ H（高さ）80mm×W（広さ）61mm

學校美術社

がっこうびじゅつしゃ

日本時代的電話簿裡，京町二丁目十二番地的學校美術社被歸在「額椽」類。額椽是日文的鏡框、畫框。學校美術社的紀念章也強調了「美術額椽」，用現在的話說，學校美術社是一家裱框店，兼賣一些圖畫用材。

事實上，老闆矢壁正勝原來專營玻璃店，一開始在東門町開設「秋田硝子店」，後來攻入市中心的城內京町，頂下原來的「前田硝子店」。這時候，除了玻璃，也開始跨足做裱框生意。現在裱畫多用壓克力，戰前只有玻璃，矢壁老闆跨界，有其自然之理。

矢壁先生一開始做裱框，就辦過洋畫展覽會，等另立專門店「學校美術社」，似乎跟台北畫壇關係已深，三〇年代幾次水彩畫會開畫展，報名、徵件、取件、詳細辦法，都是「請洽學校美術社」。 *

Original Size（原寸）
●↖ D（直径）60mm

京町薬局
きょうまちやっきょく

↑ H（高さ）48mm×W（広さ）30mm
↗ H（高さ）28mm×W（広さ）47mm
↑ H（高さ）68mm×W（広さ）57mm

京町藥局位於二丁目（今博愛路的武昌街到漢口街之間）西側中央，紀念章一口氣推出五款，每一個章都介紹一種藥品，因此，與其說熱烈參與博覽盛會，不如說是趁機大力推銷。

日本時代，台北有幾家藥局跟現代的藥房不太一樣，他們販賣一般熟知的大廠牌藥劑，但也製藥在自家店頭賣。位於今天南昌街的南門藥局規模大，店主是藥劑師，名叫福田馬吉，他就自己研發了「福福風邪藥」、「福福蛔蟲藥」。衡陽路的信生堂藥房也生產兩款名藥，分治胃腸和感冒。

京町藥局也一樣，紀念章中的「風」，意指風邪藥（感冒藥），「バンコー」即其自製感冒藥的商品名。皮膚藥「泰皮」和暈車暈船藥「よひしらず」，也都不是批來的藥品。這幾個自製藥都由京町藥局和新竹的泰生堂合作研發。據說，充分研究台灣的氣候風土，才調製出感冒藥，而暈船藥則是泰生堂姓新原的日本籍老闆根據多年航行於台灣、日本海上經驗的結晶。 *

Original Size（原寸）
■↑ H（高さ）55mm×W（広さ）30mm
■↖ H（高さ）47mm×W（広さ）84mm

文明商行

ぶんめいしょうこう

據一九三六年版台北市工商名錄，京町二丁目有一家文明商會」，老闆「劉明」，與紀念章上的「文明商行」話同為三九九七，因此，雖有一字之差，應是同一家號。

再比對一九三〇年九月出刊的雜誌《演藝とキネマ》表演藝術與電影），文明商會登了廣告，特別宣傳是溫器（一種熱敷器）的台灣總經銷，對胃腸病有特效。這款溫灸器和紀念章上的牌子也一模一樣。

這則廣告另顯示台北支店店址為「京町四丁目一番」，與一九三五年台北市的商店地圖所標示的位置相，卻不同於一九三六年版工商名錄的紀載。再追查劉明」的資料，戰後劉明曾擁有開封街一段七十九號八十三號的三棟樓房，這個地址正屬於戰前的京町四目。

綜合以上資料，文明商行就是文明商會，原本應該位京町四丁目，可能就在一九三五年博覽會不久前移到丁目。

二戰前後，劉明是嶄露頭角的煤商，戰後之初還擔任台灣省石炭調整委員會主委，出資創辦了延平中學。明商會可能是他投入煤礦之前的事業。

文明商行的店章呈現的基本資料，洋服一般指男士西，洋裝則為女士一件式的連身裙裝，「服地」則指布。看起來，文明商會就是跟衣裝相關的店，卻又同時理販售和服裝不太相干的溫灸器。或許，當時三十三的劉明還在多方試探事業的可能性。 ＊

服地
洋服
洋裝
ラヂウム溫灸器總代理店
文明商行
臺北市京町二丁目
電話三九九七番
振替台湾四四〇六番

Original Size（原寸）

■↑ H（高さ）73mm×W（広さ）28mm

ラヂウム溫灸器

醫學博士 中村愛助先生
責任効力證明

慢性胃腸病

專賣特許

婦人病
冷え症
要肥滿之人
肺病
肋膜炎
其他慢
性諸病

特効折紙付

醫學博士廿餘名推奬

◉説明書無代進呈

特徵

効果迅速
使用簡便
無痛無痕
經費低廉

總代理店 文明商會

本店臺中榮町四ノ十一（電九七二）

支店臺北京町四ノ一（電三四四三）

特約店募集

御希望者有利相談

↗
文明商行創辦人劉明之後經營煤礦而大富，
戰後捐資創辦私立延平中學。

小波

こなみ

於京町三丁目二十八番地的「小波」商店，歷史資料限，所知不多。老闆非常特別，登記為「石王氏瑞」，該是台籍或在台的中國籍婦女。

紀念章上的小波店面，忠實反映三丁目成排的三層洋。屋頂懸掛旗幟，顯示小波販售「樂器とラヂオ（按，後寫做ラジオ）」意指「樂器與收音機」。

一九二〇年代前半，電視還沒出現，廣播從美國快擴散到英國、日本、德國，各國熱烈發展廣播放送事。台灣第一次聽到廣播是一九二五年總督府的試播。九二八年正式開始放送。台灣第一位理科博士劉盛烈一九一二年生）曾說，台北開始放送，「一時大流行礦整流式收音機」，學生「瘋狂性」買受話器、配電盤、流礦石和一些電線，自己動手組合收音機。

到了一九三五年，全台已有兩萬三千多台收音機，灣人快五千台，日本人擁有超過一萬八千台，但當年灣人近五百萬，日本人口不到二十七萬，換句話說，籍人數是日本人的十八倍，擁有收音機卻還不到日本的三分之一。日本時代擔任律師的陳逸松就曾說，在台北城內的日本人，「幾乎每家都有性能良好的收機」。＊

Original Size（原寸）
●↗ D（直徑）52mm

↖
日本時代，學習小提琴的中學生。

蓬萊物產商會

ほうらいぶっさんしょうかい

船尾飄旗上的「蓬萊物產」，並不是指台灣物產，而是紀念章所屬的店家「蓬萊物產商會」。

蓬萊物產經營土產，位於京町三丁目二番地，即今天的博愛路三十一號，建物依舊。三〇年代，蓬萊物產門檻上方，掛滿了台灣水牛角，入門走道旁的平台則有鹿角，這些都是日本時代來台旅客常見的土產紀念品。其他還有蝴蝶、鳥類等動物標本，蛇皮製品、水果蜜餞、大甲帽，也都很受歡迎。蓬萊物產商會還另外在大稻埕設工場，自己加工製作各種土產商品。

台北城內向來是日本商人的地盤，蓬萊物產商會的老闆王思欽卻是少數特例。不過他究竟是台灣人或中國人，目前無從知悉。

蓬萊物產紀念章採用了戎克船當主圖。對日本人來說，從日本來到基隆港，映入眼簾的戎克船，充滿異國風情，他們認知為一種中國船。事實上，戎克船譯自英文 junk，本來就指航行中國東南沿海的中國式帆船。清代把閩粵移民、貨物運來台灣的都是戎克船。今天的大稻埕碼頭還造了一艘戎克船，供人懷想當年點點帆船雲集的景象。

到日本時代，戎克船依然活躍，穿梭海峽兩岸。以一九三五年的高雄港為例，戎克船載來陶器、大蒜、古金物，出口載走水泥、砂糖、重油、空瓶、玻璃。一九三四、三五兩年，來去都以陶器、水泥佔最多。 *

Original Size（原寸）
■↗H（高さ）103mm×W（広さ）84mm

片右邊第二間就是的蓬萊物產商會，馬路盡頭可以看見北門。

萊物產商會。

←
三〇年代，蓬萊物產門檻上方，
掛滿了台灣水牛角，入門走道旁的平台則有鹿角，
這些都是日本時代來台旅客常見的土產紀念品。

停泊在基隆港的
中國式帆船「戎克船」。
↖

戎克船的船身上
通常都有個引人注目的眼睛，
但塗色不盡相同。
←

丸山寫真館

まるやましゃしんかん

本時代，台北最有名也老牌的日本人照相店，非遠藤
真館莫屬。大戶人家的舊照片常會看見相片一角有遠
的鋼印「YENDO」。臺灣銀行的週年紀念寫真帖也曾
遠藤老闆負責。

其餘的日人寫真館，常會負責編印學校的畢業紀念
，例如，台北商校找了京町的勝山寫真館，北一女找
門外兒玉町的熊澤寫真館。市田、江藤寫真館也都時
蹤影，比較起來，丸山寫真館就似乎少見演出了。

舊資料上，也很難多了解丸山的動態。目前僅知丸
寫真館主是叫「丸山清」的日本人，館址京町三丁
十一番地，面向今天的博愛路、靠近開封街口，夾
江上理髮店與尾阪商店之間，是一棟兩層樓的磚造
築。 ＊

Original Size（原寸）

■↖ H（高さ）70mm×W（広さ）54mm

＊

太陽堂

たいようどう

一九三三年，太陽堂印舖遷到京町四丁目十番地，即今靠近開封街一段路口的博愛路上，面向北門郵局的側邊。

太陽堂的紀念章以博覽會常見的會場當主圖，兩部汽車本是配角，反而最搶戲；一來一往，似乎穿梭在市區和郊外的溫泉區。

紀念章最右邊的溫泉記號，台灣人現在也很熟悉，不過，這是源於日本特有的標示。日本的三條白煙溫泉標誌，最早出現於一六六一年標示群馬縣磯部溫泉的歷史文物上，不過，三煙較長，浴池則較窄圓，以今天的眼光看，似乎沒有「溫泉感」，倒是更像小章魚或小水母。

近一、兩百年來，溫泉記號略有不同，不過，大體相似。日本人習慣幾百年的溫泉標記，拿去給外國人看，他們卻歪著頭猜測，「是拉麵嗎」、「燒肉」、「咖啡」。於是，日本顧慮二〇二〇年東京奧運期間，可能湧入大量外國選手和觀光客，準備修改溫泉的記號，在三絲白煙之下，加入三個人。這下，換日本人有點抓狂了，有人譴稱那是地獄的大煮鍋吧！ *

Original Size（原寸）
■↖ H（高さ）75mm×W（広さ）47mm

東京堂時計店

とうきょうどうとけいてん

北的日本人商店，較少見採用日本地名為店號，老闆多半喜歡冠上自己的姓氏。東京堂的名字因此看起來殊些。

東京堂的地點也很稀貴，他長在Ｙ字型岔路的路口，面向右側的京町大街，也不臨視左側的大和町的馬，而兀自朝北叉腰挺立，有點挑釁似的，和古蹟北門目對望。目前，東京堂的三層樓舊建築還在原地，只過，牆面全改貼現代的磁磚，三〇年代，三樓的屋瓦牆面，原來有個浮雕的菱形框，框內寫著「東」字，經消失在無垠的時空。

紀念章上，「京町本局前」的本局意指現在的北門郵，日本時代，那裡是台北郵便局，是全台北各大小郵的總局，地址則屬京町四丁目。至於兩條弧線中的號，不是什麼密碼。東京堂是一家「時計店」（鐘錶店），出鐘面、錶面的一部分，設計巧思讓人莞爾。 ＊

東堂時計店位於北門前方，
楚的橫式看板，
郵便局（今北門郵局）僅一路之隔。

Original Size（原寸）
●↖ D（直径）65mm

草山北投循環バス
階上
中央食堂
喫茶部・カフェー
東京堂時計店
代書

文尚堂

ぶんしょうどう

尚堂位於今天開封街南側，靠近博愛路口，日本時代於京町三丁目。現在開封街這一側的日治建築都已經造，較靠近重慶南路那邊，也只有一家補習班在起造大樓時，保留了「菅野外科」的外觀模樣。

文尚堂三枚紀念章中，有兩枚出現鋼筆圖案，應是鋼店。但是其中一枚也包含了印章，表示也刻印章。這中年台灣人想起青春時期，流行贈送學生鋼筆作為畢獎勵，筆身還會刻上贈與人和受贈人的名字。一家店賣鋼筆也做刻章，並不違和。事實上，一九三〇年代期，已經有廣告顯示，「ネーム入無料サービス」，也是買鋼筆，有免費刻上名字的服務。 ＊

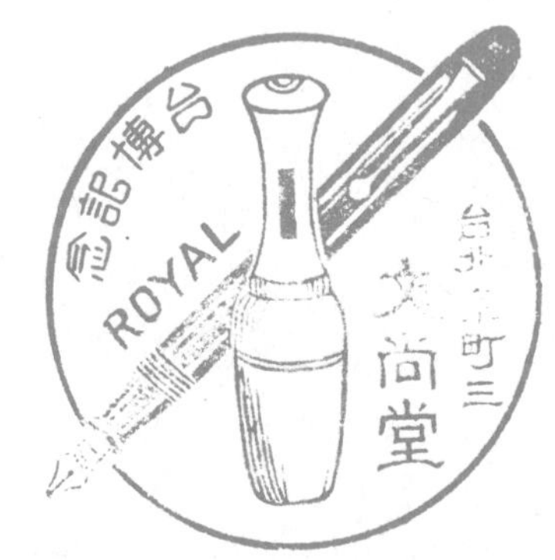

線從江上理髮館的看板往左看下去，
谷自轉車店、活版印刷，再下一個招牌就是「文尚堂」。

Original Size（原寸）
●↗ D（直径）45mm
●↑ D（直径）59mm
■↖ H（高さ）62mm×W（広さ）21mm

江上理髮舘
江上理髮舘
自轉車店
鶴田医院

トモエ會館（巴會館）

ともえかいかん

念章上的「大社交場」是一種標榜，「トモエ會館」才真正的店名，若用易懂的漢字表示，那就成了「巴會」。事實上，一九三五年春天完工的三層樓新築，外上有巨大的英文店名「TOMOE KAIKAN」，從上到，跨了三個樓層。透過英文字母，潑放的是時髦、派。

踏進店內，連通各樓層的電梯，最叫人嘆為觀止。三的大會場布置了當時台灣著名畫家木下靜涯的大壁，可以容納一百五十人聚會。三樓頂也做了三〇年流行的「屋上庭園」（屋頂露天的庭園），可以眺望大山，巴會館可說是日本時代最後繁華的代表建築。再兩年，一九三七年中日開戰，社會往簡樸、嚴肅風氣，民間就少再有如此奢華的商店建築了。

若從北門沿著延平南路往南走，來到第二個十字路，垂直的是漢口街，不過街，右手邊就是巴會館的在。如果向右轉，那便逐漸深入「巴集團」的地盤了。口街到中華路口，盡是巴會館相關的事業。

館野弘六原先經營日式料亭「竹の家」，位於中華路側的漢口街口。一九一〇年代，汽車時代來臨，館野竹之家下設自動車部（汽車部）。到了一九二一年，野不受限的個性再次發揮，汽車部升格為一個新公司巴自動車商會」，另外，移植日本本土流行的カフェーcafé，帶著酒色性質的咖啡館），自動車商會的樓上也設巴咖啡館。館內提供洋食，還特別從站前豪華的鐵旅館挖了廚師和服務生過來。一九三五年新建的巴會，就是巴咖啡館的蛻變升級版。 *

日式料亭「竹の家」起家，立巴商會的館野弘六。

Original Size（原寸）
●↖ D（直径）45mm

第二車庫

臺北 巴自動車商會 電話 八四五 三一三五

臺北 竹の家 電話 三六四 一三三八

臺北 カフヱートモヱ 電話 二二九八 二七〇八

草山 巴溫泉旅館 電話 草山 六七

臺北 萬華廓巴樓 電話 五七九

何卒御贔負之程奉願候

ビウイク號
シボレー號
カデラツク號
ジーヱムシー號

各種最新ノ樣式ヲ具備セル
自動車販賣並ニ貸自動車

東京丸之內
梁瀨自動車株式會社
臺灣代理店

第一車庫

臺北
巴自動車商會
電話 八四五 三一三五番

↗
館野的事業版圖範圍廣，
旗下有代理別克等進口車的自動車部門，
也經營旅館，在萬華風化區還設有「巴樓」。

大和館

やまとかん

大稻埕南下，過了北門，鑽入延平南路，就到了日本
代的大和町。這裡有許多以「大和」為名的商店，大
食堂、大和商會，還有一家位於延平南路、開封街口
旅館，也取名「大和館」。

大和館名字響亮，氣勢大，不過，距離當時的台北火
站已經超過五百公尺，跟其他城內的旅館比較起來，
點稍嫌弱勢，大和館的房間價位在城內反而居末。

一九二六年，一位寫漢詩的日本詩人來到大和館，有
風雅的名號，叫岡本曉翠；一個從維基找不到條目的
字。現在文名不留歷史，當年大概也不特別受崇拜。
本得到幾位名士贊助，來到台北，以自己毛筆寫自己
詩，在臺灣日日新報社的三樓辦展覽會。其實也是賣
，一幅三圓。據報紙說，岡本曉翠還在大和館揮毫創
，可以直接去那裡找他本人洽購。

神戶到基隆的船資，中等艙要四十五圓，寫一幅三圓
書法，所得大約只付付旅費而已。但岡本寫「述懷」
，仍是「胸裏千山萬水生，風雲頻起肺肝鳴」。胸懷千
萬水是真，一幅三圓也是真，對岡本曉翠來說，兩者
概不相衝突。 ＊

Original Size（原寸）
●↖ D（直径）41mm

和田メガネ店（和田眼鏡店）

わだめがねてん

一九三五年四月，台北第一高女剛升上二年級的一個班，五十六位同學合拍紀念照，有四個人戴眼鏡。一九三九年三月台南第二高女一百位畢業生中，有七位眼鏡族。一九四二年，台北市大橋國校全年級四百多人，只有兩個女生戴眼鏡而已。一九四〇年畢業的台大醫學部三十七位男學生，十六人戴眼鏡，比例快一半了。

日本時代，沒有普遍化的升學壓力，沒有電子產品，需要眼鏡幫助的人還是不少。據報紙說，不論台北或全台灣島，使用眼鏡的人都知道這家「和田眼鏡店」。當然不是每個近視、老花的人只能到和田配眼鏡，台北有一些鐘錶店也同時賣眼鏡，但是，和田是全台唯一能夠製造與販售眼鏡的專門店。

老闆「和田一次」在台灣博覽會當時，已經累積三十年左右的經驗，到台北開店則是一九二六年元月的事。和田眼鏡店位於大和町四丁目八番地，就在延平南路口前頭幾家，和北門古蹟距離只有幾步而已。

楊雲源戳蓋紀念章，難得有疊線，偏偏到了眼鏡店，就把「和田メガネ店」（和田眼鏡店）幾個字蓋得好像有散光一樣。不知道當時老闆有沒有跑出來招呼，「您是否該檢查一下視力了 !?」

＊

↙
和田眼鏡店在市區的電線桿張貼廣告，
意思大致是「買眼鏡就到和田」。

Original Size（原寸）
●↖ D（直径）44mm

*

メガネハ
和田へ
商店

成北
公學校
三成工作所
日洋舍
日新工作所
第二人類愛の家
小林洗濯店
張福記
高進商行
日新湯
新協榮
安則弁護士
元山商店
十字堂
生裕堂
勝春堂
新興堂
成美堂
金田製菓
濟陽堂
泉建築事務所
永福堂
宏隆商店
成春商店
奇劝堂
蓬萊商店
巴里床
新豊堂
キリスト教会
朝日屋
千代旅館
湯野商店
蔡産婆
三和商會
陳朝枝
生駒洗濯
有水弁護士
丸源支店
福井館
保全社
花田床
瑞光商會
竹内商店
李產婆
栗田春堂
三光堂
建成小學校
大稻埕公會
大正街駅
今村歯科
日成商會
職業紹介所
公設質舗
御成市場
海野
高工鐵所
台湾公報社
中村染物店
北投牛乳店
小松崎商會
山福商會
丸石商會
食料工業會社
新舞台
日新會
専賣局煙草工場
向陽クラブ
台衛新報
三浦屋
浦田組
浪速製藥
三樓松
正大鶴太
台北驛
大阪商船
國際通運
近海郵船
梅屋敷
鈴木電機
三好鋪
市役所
土木課倉庫
市バス
古谷商行
渡瀬商店
丸天食堂
川田商店
山村運送店
宇佐川商店
鹿島ビル
田中商店
正食堂
大倉商事
原川運送店
水上面送店
運送店
日生
清命
吾妻
旅館
大成火災
大同生命
鐵道ホテル
千代田生命
日ノ丸館

北門町
鐵道部
鐵道工場
鉄道購買
官舍
鉄道歯科
鉄道診療所
台北郵便局
67
消防詰所
日本石油
三菱商事
台湾ホテル
台南ホテル
台湾運輸
キリスト教會

梅屋敷

うめやしき

屋敷似乎不需要表明身分，紀念章只有「梅屋敷」三字跟自身有關聯，其他一概無關。南端的鵝鑾鼻燈、中段的中央山脈和北部的台灣神社、神社前的明治，都是台灣知名景點。

在日本人心中，梅屋敷是聚會場所的王座。一九二六，新總督上山滿之進到任，日台要人六十幾人就在梅敷開歡迎晚宴，席間，依當時的社交風俗，有日台小姐居間陪侍，中文報紙很文雅稱之為「紅袖侑觴」。九一〇年，總督佐久間左馬太招待英國駐日大使，也請到最高級料亭的梅屋敷。

日本人要開送別會、懇親會、忘年會、慰勞會、歡迎、同志會、新年會，梅屋敷也都是首選。甚至是辦戶的園遊會，也沒有問題。日文的「屋敷」，意指有大庭的日式房子。梅屋敷的庭園就不小，還有假山、小、小橋，可以舉辦餘興節目，曾有人在此放氣球、獅。

地點也是梅屋敷勝出的因素之一。梅屋敷戰前的地址北門町十九番地，戰後改為逸仙公園，但因鐵路地下工程需求而往北遷移五十公尺，已非原地，原貌也失太多，館內的木造建築勉強可供追想當年風華。　＊

式高級酒宴料亭「梅屋敷」鄰近台北火車站，
而氣派的宴會廳是當時各種聚會的首選。

Original Size（原寸）
●↗ D（直径）45mm

梅屋敷寬闊的庭園可以舉辦餘興節目，
曾有人在此舞獅、放氣球。
↗
↘

向異國，機尾的各航空公司標誌深印在旅客的腦海。本時代就不是飛機了，郵輪黑色煙囪上「大」字拉出兩條白色環線，最為人熟悉。

「大」字代表的大阪商船株式會社占據了三〇年代台灣主要海上航路。攤開台博當年的報紙，天天有郵輪出的小廣告，四家船公司排成一列，大阪商船的航班密麻麻，遠超過近海郵船、辰馬汽船、大連汽船三家的合。大阪商船能把台灣人載到福州、上海，也可以更到菲律賓、印尼、泰國和越南。

戰前，日本有所謂三大財閥，三井、三菱之外，還有友。大阪商船即屬於住友財閥，創辦於一八八四年。後六〇年代，大阪商船和三井船舶合併為「商船三」。大阪商船四字便成流光所拋的昨日之花了。回望九三五年紀念章上的「大阪商船」，正是青壯鼎盛時。

把大阪商船四個隸書字，真的看深了，突然發現，船」其實不是船，而寫成「舩」了。左半邊「舟」、右半「公」的舩，其實確有其字，而且，正是如假包換的文「船」，並非日本獨特創造的漢字。在篆書、隸書的代，船字右半邊本來就是「公」字。只是這兩種書體公字寫法，上方兩撇，下方如「口」，等到了楷書的年，就被改造成「船」了。 *

大阪商船

おおさかしょうせん

Original Size（原寸）

■↖ H（高さ）40mm×W（広さ）72mm

↗
一九三七年完工的大阪商船台北出張所新築
座落台北火車站前，三層樓高，現已定為古蹟。

阪商船航行於台日間的定期輪船高千穗丸(上)。
千穗丸為客貨船，船艙內部設有洋風一等食堂(左下)，
有專門的喫菸室(右下)。
↙↘

近海郵船

きんかいゆうせん

彷彿木頭斜紋的四個大大的美術字，從左念到右為「近海郵船」，與大阪商船同為日本時代台灣兩大船舶會社。日治一開始，必須建立台日之間的聯絡交通，總督府補助方式商請日本郵船和大阪商船投入。到了一九二三年，日本郵船另設「近海郵船」會社，台日航線也撥給近海郵船經營。三〇年代，近海郵船旗下的朝日丸、富士丸都是知名的豪華大客輪。一九三七年四月啟航的富士丸，可載客九百十八人、船務相關人員一百六十五名。

紀念章下方的一排字貌似中文，卻是日本漢字，「切符」就非中文詞彙，而是日文「票」的意思，任何車票、船票、機票、電影票，都屬切符的一種。

如果站在台北火車站前廣場，面向車站，近海郵船的船票發賣所就在左手邊的一棟兩層洋樓，電話七〇七，門口有告示牌，條列各客輪船班的資訊。 *

↖
圖中左側，近海郵船的船票發賣所
與大阪商船相毗鄰，都位於台北火車站前廣場。
↙
近海郵船旗下的富士丸是知名的豪華大客輪。

Original Size（原寸）
■↖ H（高さ）39mm×W（広さ）85mm

集英旅館

しゅうえいりょかん

百年前的北門外，集英館和四川館兩館相連，都是台灣人經營的旅店。同行相爭，搶客搶到交惡。一九一三年的春天，集英館的客人到頂樓曬鞋，撐在竹竿上。風一吹，就掉到四川館那邊。四川館二話不說，就直接把鞋子丟進垃圾箱。集英館跑去理論，四川館反過來也指控昨天曬的一雙襪子被集英館偷走。雙方吵不出結果，都找人寫狀子準備提告。

過沒幾年，集英館的老闆余東漢到北門邊的北門町六番地蓋起新樓，位置就在今天忠孝西路右轉延平北路的圓弧處，要和四川館吵得到架已經不容易了。

余東漢在地方非常活躍，從一〇年代就擔任保正（村里長），長達二十三年，熱心行善勸善，會施棺給窮困的民眾。早年台灣貧富差距懸殊，窮人有時連給過世家人安葬的錢都沒有，遑論買棺木。富裕階級於是有一個良風善舉，他們會購置棺材，等窮人上門求助時，即可施棺救急。 *

←
集英館位在北門口，
一樓招牌做成凸出的三角形，
吸引街道上往來的目光。
圖為一〇年代中期的影像。

Original Size（原寸）
●↑ D（直径）48mm

台湾銀行
長官官邸
迎賓館
圖書館
電力會社
遞信部
電話交換局
偕行社
總督

末廣町
壽町
三井茶工場
壽小學校
第三女學校
吉野館
國際館
稻荷神社
西門市場
西本願寺
府縣館
憲兵隊
陸橋
法華寺
老松公學校
68
71
72
74
75
76
77
78
79

西門市場

せいもんじょう

門市場就是今天西門町的古蹟西門紅樓，建於一九〇
年，也稱新起町市場，可說是台北日本人的廚房，生
的食材、用具，應有盡有。

西門市場的營業場區包括三部分，一是八角堂內，一
所謂的「本館」，亦即緊黏在八角堂的十字型區域。第
部分在八角堂和本館之外，靠牆有一些小店，稱為
外店」。

到了一九二八年，西門市場進行一次大重整，八角堂
樓上變食堂，一樓減為八家店，包括洋雜貨、鞋、玩
、化妝品、陶器、荒物（刷子、籃子等日常生活器
）、文具、菓子等商店。

本館則有六十八家店，其中，二十二家魚店、十家蔬
店、五家牛肉、豬肉店，漬物有三家，賣水果、雞肉
豆腐、蒟蒻的各兩家。配置上，從八角堂轉入本館的
直通道，兩邊分布非生鮮類的店家，像是鹽干魚、蒲
（魚板）、佃煮、豆腐等。到了十字交叉的中央，則是
鮮魚店區。兩翼再分布肉店和蔬菜、水果店。

西門市場博覽會期間的紀念章圖案，只有魚、大蘿蔔
高麗菜等，其實還未能涵蓋其豐富的多樣性。楊雲源
訪的兩家店，均屬八角堂和本館以外的外店，「山田
計店」為鐘錶店，「三上」為洋雜貨店。

依一九三六年版的台北市商工名錄，西門市場的外店
三十五家，其中，台灣料理名店「來來軒」也在西門市
設了分店，賣日本人愛吃的炒米粉。　＊

門市場建於一九〇八年，
了八角形磚樓，樓外還有小賣店。
個市場各店都有，滿足生活所需，不限生鮮。

Original Size（原寸）
●↖ D（直徑）48mm

The West-Gate Market Place, Taipeh.
台北西門町市場
市場

三上洋雜貨

みかみようざっか

國立台灣圖書館所藏的台北電話簿，一九三六年，
門市場的總機是三七〇〇，營業時間以外可打三七
一。市場內那棟八角形的紅磚建築（即今古蹟西門
樓），裡頭盡是店面小小的商店。一樓的專線是三七
二，二樓使用三七〇三這個電話號碼。三七〇四到
七〇六的三支電話，則屬於西門市場八角堂外頭的
外店」。

紀念章上雖然使用了「構內」，但日文「構內」的意思，
包括建築本體內部，也涵蓋建築基地。紀念章標記電
號碼為三七〇四，更可以推斷，三上洋雜貨店並不在
天的紅樓古蹟內，而是樓外的商店。

再比對一九三六年版的商工名錄，確實清楚記載，三
洋雜貨店屬於西門市場「外店舗」第五號，老闆叫三上
之助。　＊

三上洋雜貨店
不在西門市場（今紅樓）內部，
而是樓外的商店。

Original Size（原寸）
●↖ D（直径）100mm

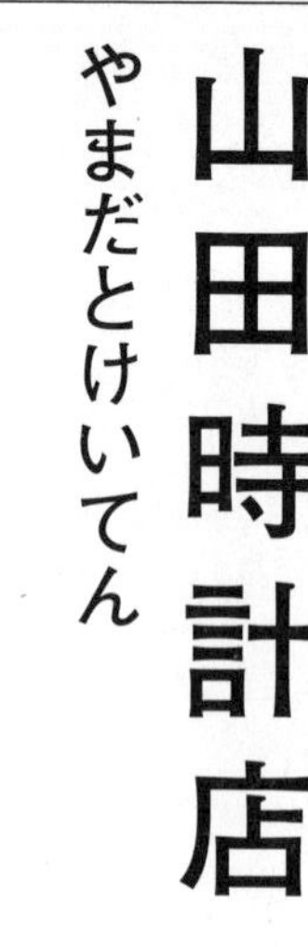

來看山田時計店三章中最清楚的一枚。

以鐘錶面的上半圓為主圖案，可以推知山田是一家鐘店，「時計」確實也是日文的鐘錶之意。

對準 12 的指針上，寫著「西門市場」。西門市場建於九〇八年，即今古蹟西門紅樓，日本時代，那裡可說一個躺下來的百貨公司。除了魚肉蔬果，也有家居用、生活器具。西門市場最漂亮的八角堂，一九三五年時，一樓有八家店，樓上是食堂，十字形區域稱「本」，有六十八家，八角堂和本館以外還有所謂的「外店」，共三十五家。山田時計店就是外店舖第十五號，營者名叫山田勝太郎。

山田販賣的品項頗廣，並不是只有鐘錶，依一九三六版的《台北市商工人名錄》登載，還賣有蓄音器、眼、珊瑚、金銀細工。蓄音器是播放唱片的機器，中文「留聲機」，山田時計店應該因此也賣唱片，另外兩枚念章就跟唱片有關。

兩枚紀念章模仿郵票形狀，四邊圍繞齒孔，顯得活、有創意。飄著兩面三角旗的那一枚，旗下塔樓其實著「山田」兩字。右下出現的四分之一圓，正是唱片一角。

另一枚紀念章，可能是楊雲源對第一次蓋章不滿意，複再押印一次，結果沒能完全對齊。左半疊影，右半清楚。英文字「YAMADA」是山田的發音。片假名標的「タイヘイ」和「ニット」(應該是「ニットー」之誤)，別意指「太平」與「日東」(NITTO)，兩家都是發行唱的日本會社。 ＊

Original Size（原寸）
■↗ H（高さ）37mm×W（広さ）50mm
■↗ H（高さ）29mm×W（広さ）40mm
■↖ H（高さ）25mm×W（広さ）50mm

福本商店

ふくもとしょうてん

福本商店的橢圓章內，「新起町一」指的是新起町一丁目，福本商店舊址位於今天漢中街與內江街口的西南邊，大約是漢中街一百五十號附近。

橢圓章中間的幾個片假名「ハキモノ」，日文漢字寫作「履物」，意即鞋子。不過，福本並不只是鞋店，另一枚四方形紀念章就把商品描述得更清楚了。

ゴム是日文的「橡膠」，所以，那雙長筒膠鞋是「ゴム靴」；那一捲橡膠就是「印刷ゴム材料」。如蛇圍著膠鞋的水管是「ホース」；台語把塑膠軟水管念成近似「厚素」的音，就是源自日語的「ホース」，只不過，戰前還沒有塑膠，只有橡膠。

章中另外一詞「卸部」，意指「批發部」，換句話說，福本也做橡膠種種商品的批發生意，可見福本商店規模不似普通小店。 *

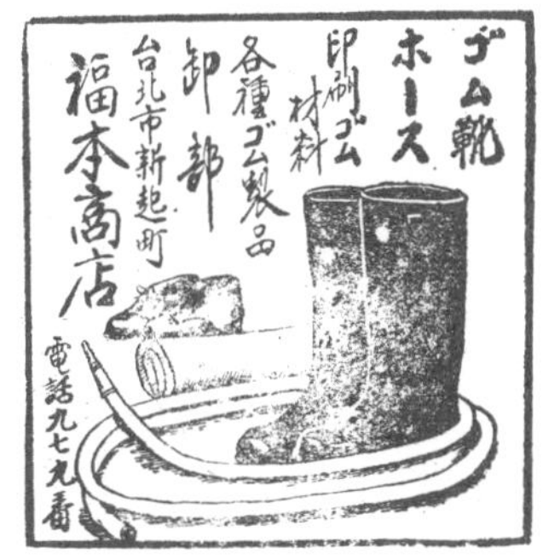

Original Size（原寸）
■↖ H（高さ）34mm×W（広さ）23mm
■↖ H（高さ）42mm×W（広さ）42mm

今井モスリン店

いまいもすりんてん

（今井毛斯綸店）

紀念章上看，昭和十年十一月二十二日，楊雲源來到
門市場（今古蹟西門紅樓）旁的漢中街，過了垂直的
江街，右手邊有一家「今井モスリン店」。此店位於新
町一丁目二十二番地。這個丁目含括的區域大約是漢
街、長沙街二段兩側，但不過西寧南路。漢中街派出
在丁目內，西門紅樓則不包括。

一九三六年的電話簿將「今井モスリン店」，歸在「吳
、反物」類，也就是賣和服及和服布料。因老闆名
今井久次郎，店名而有今井。モスリン一詞則源自
文的 muslin，是一種細薄的棉布，最初來自伊拉克。
八、十九世紀，歐美許多仕女穿著淡色清爽的蓬鬆衣
，就是用這種布料。但傳進日本後，經過改良，採用
毛，成為有日式特色的布料「毛斯綸」。所以，現在網
檢索「モスリン」的圖片，多半是顏色鮮豔的和服布，
索「muslin」圖片卻是一片白素，兩者已經不同。　＊

Original Size（原寸）
●↖ D（直徑）30mm

三光堂

さんこうどう

三光堂位於今漢中街的東側，面向西門市場的側邊，也在新起町一丁目內。

紀念章的「守護台灣」口號下，設計了長方塊，可能出於老闆宇野先生的刻意選擇，形狀跟三光堂的主產品「名片」差不多。

下沿另有類似口號的一句，「名刺葉書ハ宇野三光堂」，意即「名刺葉書就是宇野三光堂」。就跟「明治就是巧克力」一樣，自我標榜是同業中的第一選擇、第一品牌。

「名刺葉書」其實是兩樣東西，名刺是日文的名片，葉書則為「繪葉書」的簡寫，是一種以圖畫或照片做成的明信片。戰前，許多機關單位會印刷繪葉書，例如報社和書店，發賣台灣風景明信片，給旅客當土產伴手禮。也有不少商號店舖印刷自己的繪葉書，例如北投溫泉旅館和天母溫泉場都曾印自己的外部景觀、內部陳設，做為宣傳品。也有像大稻埕聖教會在太平町新教會落成時，也會印發兩張一套繪葉書，做為紀念。對於三光堂這樣的印刷店來說，承印繪葉書也是一樁有獲利規模的生意。 *

Original Size（原寸）
■↖ H（高さ）34mm×W（広さ）74mm

芳文堂印房

ほうぶんどういんぼう

序已經一九三五年，但是，西門那邊的芳文堂印房推
台博紀念章，精細刻劃原住民女性的臉龐，參考本其
是一九一二年出版的《臺灣生蕃種族寫真帖》裡頭的
張照片，她是北部屈尺地方的年輕女性。

屈尺原住民屬於泰雅族，文面（臉部刺青）是泰雅傳
特有的文化。女性從耳朵到嘴唇邊，刺出V型寬板的
亮線條，若不文面，則不能結婚，也會帶給家族厄
。但這個民族特有的習慣到了日本時代，開始有了
變。

總督府方面一開始並沒有全面性禁止的規令，但各地
員「曉諭」，原住民也難以抵擋時代流變，一〇年代，
紙就開始出現「無刺墨結婚」的報導，沒有文面的泰雅
婦女已經不受傳統束縛，自在結婚了。　＊

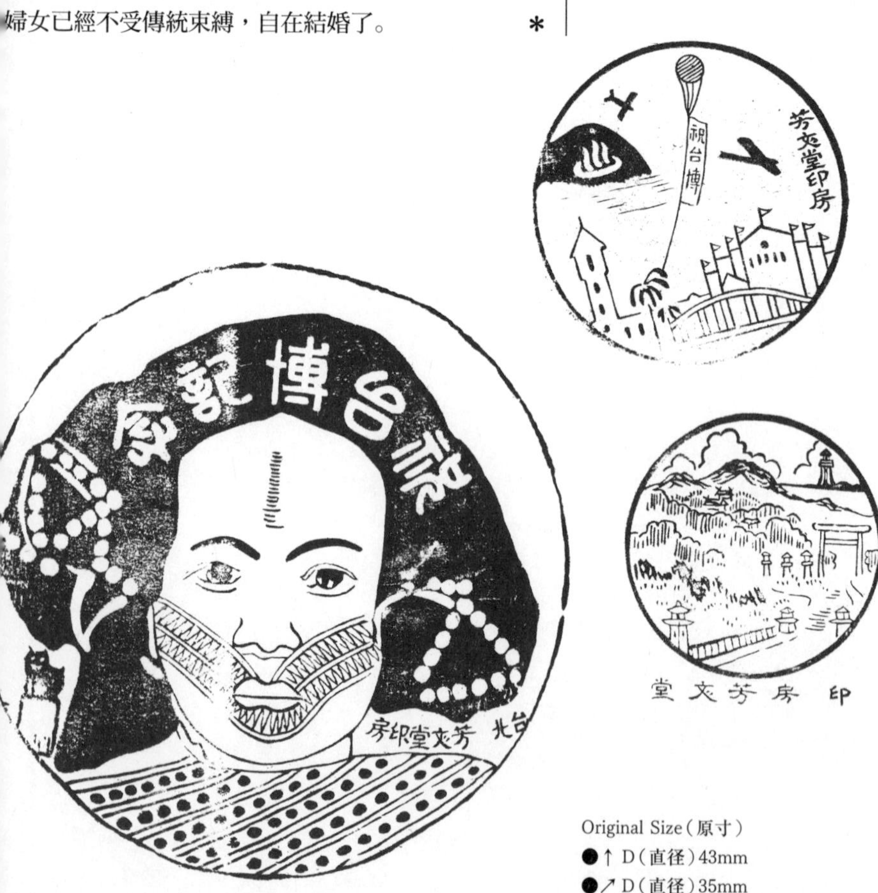

Original Size（原寸）
●↑ D（直徑）43mm
●↗ D（直徑）35mm
●↖ D（直徑）80mm

御國屋

おくにや

御國屋有一個店名章，簡單三字，朱印色鮮，配上秀美的行書體，意外耐看。楊雲源拿起此章蓋在筆記本上時，似乎不怎順利，御字吃墨太多，一蓋兩蓋都不甘心，蓋到第三個才滿意。三個蓋章並不在同一方向，楊雲源若以右手戳蓋，幾乎不容易蓋出左邊那章，推測他當下轉動了筆記本。無論如何，連蓋了三次，像是特意造型似的，圍成的三角形，錯落有致，又自成一章。

御國屋為日本人山田彥次經營，位於新起町一丁目三番地，就在今長沙街二段、西寧南路口。依電話簿與商工名錄的歸類，御國屋是文具店，但依紀念章顯示，也承攬印刷業務。 *

Original Size（原寸）

■↗ H（高さ）8mm×W（広さ）28mm

■↖ H（高さ）48mm×W（広さ）58mm

大道染料

おおみちせんりょう

兩個紅色紀念章與眾不同，不圓不方，沒有台灣風
的圖案，沒有地址電話，少少的幾個字，彷彿是個
題。

愛心裡的漢字是「染料」，大道是店名，英文字「Omi-
i」是大道的英譯，整合來說，大道是一家染料店。位
新起町一丁目三番地，老闆宍道俊正。

大道染料行的紀念章直接借用了當紅的卡通人物，一
一日。洋娃娃一般的女生名叫貝蒂（Betty Boop），
自美國，一九三〇年誕生的卡通人物，穿著低胸短禮
，散發性感，大道染料卻用大大的愛心遮掉了。貝蒂
腿上的吊帶絲襪，原本有一個小紅心，也沒有清楚雕
出來。

另一個笑瞇眼的圖案則是日本火紅的漫畫主角野良犬
吉（のらくろ，意指流浪犬小黑）。漫畫家田河水泡
九三一年開始在《少年俱樂部》雜誌連載推出黑吉，馬
大受歡迎。與博覽會同一年，台北高校（已廢校，校
即今台師大）的畢業紀念冊就有兩張活動照片，一大
學生全戴上黑吉的面具，在大操場表演。 *

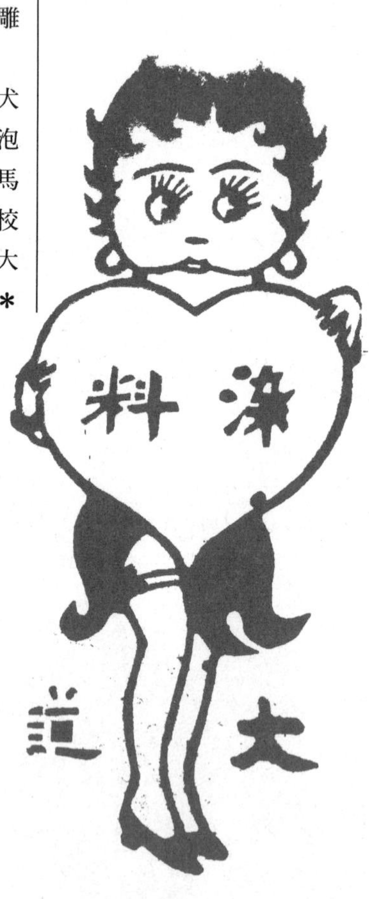

北高校一群學生戴上黑吉的面具在大操場表演。

Original Size（原寸）
■↗ H（高さ）108mm×W（広さ）48mm
■↖ H（高さ）60mm×W（広さ）47mm

芳乃館

よしのかん

新興キネマ超大作
阪東妻三郎第一回トーキー
新納鶴千代
月形竜之助・山田五十鈴共演
近日封切
伊藤大輔作品
台北
芳乃館

伊藤大輔監督
新納鶴千代
待望
阪妻の
全發声
阪東妻三郎
月形竜之介
山田五十鈴
新興キネマ超大作
近日封切

一眼望去，這三個紀念章非常像，內容大同小異。基本上就是一部名為《新納鶴千代》電影的宣傳。

先來看看唯一右下角有標註「芳乃館」的紀念章。日本時代，芳乃館位於西門町三丁目八番地，即今西門町成都路八十八號，戰後蛻變為美都麗戲院，一九六五年再改造為國賓戲院。一九三五年，也就是博覽會這一年，台北市轟然冒出幾家大型豪華的電影院。台灣人創辦的「台灣第一劇場」、日本人老闆的「台灣劇場」、「國際館」、「大世界館」，座席都超過一千，帶出三〇年代到戰爭結束的一段電影高潮。芳乃館相形略顯老態，但在二〇年代，和永樂座、世界館等戲院，還是台北影戲娛樂界的要角。

「伊藤大輔」是這齣戲的導演，被稱為日本時代劇之父。戰前的時代劇往往是描寫武士、浪人打鬥的電影，一般俗稱「チャンバラ」(念音近似「強巴辣」)，其實就是模擬日本刀砍來砍去的聲音，老一輩台灣人多會講這個詞。

「阪東妻三郎」則是一代美男星，從歌舞伎跨足電影，二〇年代紅極一時。現在日本知名男星田村正和是他的兒子。紀念章上看到的「阪妻」，不是什麼大阪太太的意思，而是粉絲們對阪東妻三郎的暱稱。

紀念章上刻的「阪東妻三郎第一回のトーキー」，意指阪東第一次的有聲電影。紅色章裡，有幾個字蓋得不是那麼清楚，其實就是「阪妻のトーキー」，跟另一章的「阪東全發聲」，三者都在講同一件事情。一九三〇年代，有聲電影大流行，在此之前，電影有影無聲，必須靠「辯士」在戲院一邊講解劇情。

「新興キネマ」則是一家電影公司。京都有名的片場「太秦攝影所」，一九三五年當時就屬於新興，新興的影片發行到台北的話，就固定在芳乃館播放。

「近日封切」則跟中文的「即將放映」同義。楊雲源家裡距離西門町電影院都不遠，電影院紀念章僅此一枚；唯獨鍾情般的蓋了芳乃館的紀念章，不知道最後是否進場看了這部《新納鶴千代》？ *

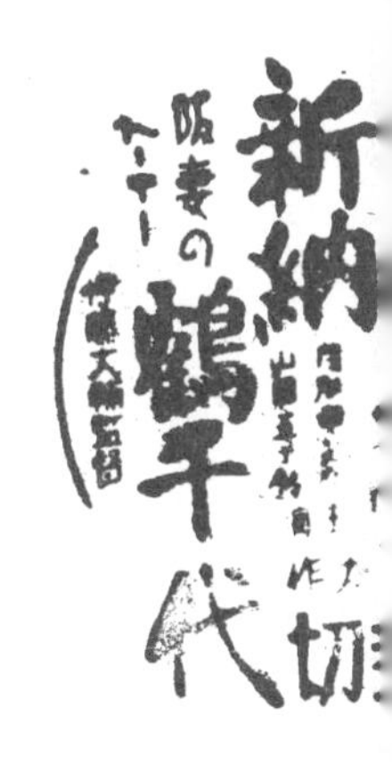

Original Size（原寸）

■↗ H（高さ）52mm×W（広さ）58mm

■↗ H（高さ）50mm×W（広さ）57mm

■↗ H（高さ）50mm×W（広さ）43mm

富田ホネツギ

とみだほねつぎ

（富田接骨）

果把木工師傅楊雲源蒐集到的商店紀念章比喻成電
，有的紀念章像可愛卡通片，有的豐富如鄉土劇情
，也有文藝片、戰爭片，那麼眼前這個章就是驚悚
了。

目睹的第一秒是驚悚，第二秒則如入鋪天的疑雲，不
這是什麼樣的一個戳章。

圖裡的日文片假名「ホネツギ」，漢字為「骨接」，所
，解讀起來，富田骨接院是一家位於壽町的整骨院，
就是台灣習稱的國術館，專治跌打損傷、脫臼、骨折
。因為是「喬」骨頭，所以推出整座人骨模型當廣告
角。這個做法倒不是富田骨接院獨步，距離富田兩百
尺左右的「菊池」針灸推拿，也是以骷髏人拿著看板
模樣做廣告。

富田和菊池都位在現今的西門町。日本時代後半期，
峨嵋街到北門古蹟、已拆的忠孝大橋，右到中華路，
到淡水河，內中圍成的區域，共包含四個町。從東到
，分別是末廣町、壽町、築地町和濱町。每一個町，
南到北都有五個丁目。

日本人富田梅一主持的富田骨接院，地址為壽町一丁
十七番地，依一九三五年的地圖，即今天西寧南路、
昌街二段十字路口的西南側。楊雲源就住靠河的濱
，離富田只有三、四百公尺。　＊

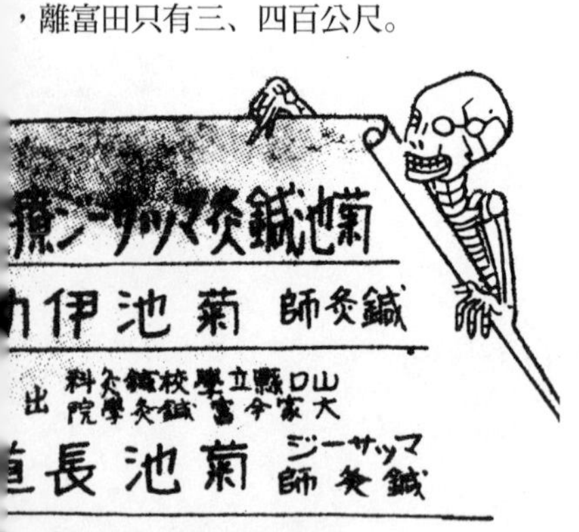

近富田骨接院的「菊池」針灸推拿，
是以骷髏人拿著看板的模樣做廣告。

Original Size（原寸）

■↑ H（高さ）45mm×W（広さ）25mm

■↑ H（高さ）51mm×W（広さ）37mm

文化堂

ぶんかどう

萬年筆就是日文的「鋼筆」，一九三六年版的台北電話簿裡，萬年筆專門店只有四家，顯然排除了一些兼賣鋼筆的文具店、印章店。文化堂是四家之一，位於末廣町一丁目二番地，從今天西門捷運站人潮滾滾的六號出口走出來，文化堂右手邊。

文化堂的紀念章裡，有三個特意放大強調的字「新館前」，也是在說明文化堂的所在。所謂「新館」，意指「新世界館」電影院，舊址即今漢中街一百一十六號的真善美劇院。文化堂與新世界館近在咫尺，才會說是「新館前」。

新世界館建於一九二〇年，白色的外牆，挑高的一樓，樓面的西洋式雕飾，在在開創近百年前的電影新紀元。

西門町之北的大稻埕，那邊是台灣人的生活圈，二〇年代本來有一個「奇麗馬活動寫真館」，「奇麗馬」即音譯自英文的 cinema（電影院），這麼洋派的戲院名字，奇麗馬也確實專門放映洋片。但台灣人不太領情，生意寂寥。一九二六年，新世界館的日籍老闆古矢正三郎就出手改裝，設立「第三世界館」。

經過幾次擴張，到一九三五年博覽會時，台北電影界已有世界館連鎖集團了；古矢家族擁有四家電影院，包括大世界館、新世界館、第二世界館、第三世界館。 *

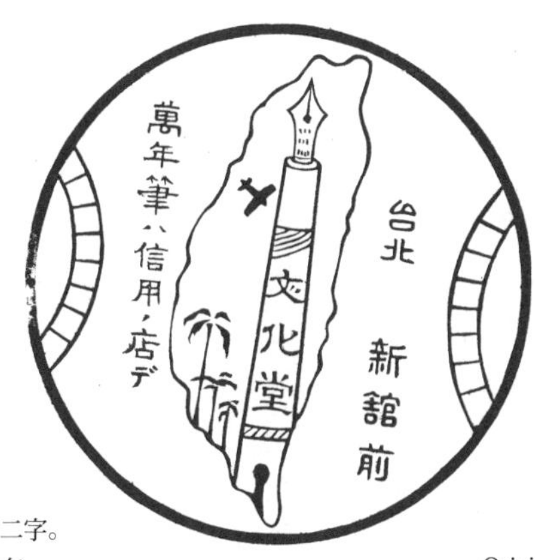

↙
文化堂樓面上方的廣告看板
畫了兩支鋼筆，並寫著「高級」二字。
照片左側「百獸天國」看板的所在，
即電影院「新世界館」。

Original Size（原寸）
●↖ D（直径）52mm

メガネ

*

末廣齒科醫院
INAGAKI

高倉寫真館

たかくらしゃしんかん

倉寫真館在台北照相界算是老資格。一九三二年，就
創業二十五週年了。一九〇八年，西門町建起紅磚八
形的市場（今古蹟西門紅樓），過沒兩、三年，高倉便
駐。一九三二年十一月，搬到戳章上標示的地址「末
町一丁目二番地」，就在捷運西門站六號出口附近的
中街，距離原來的紅樓市場才隔一條街而已。括號裡
「新世界館前」，正因為現在真善美戲院所在的新世界
業大樓，日本時代是一家叫「新世界館」的電影院。

日本時代，台灣沒有寫真學校，想要從事寫真行業，
半要到照相館當學徒。不過，高倉寫真館老闆高倉明
還有別的方法。一九三三年，他創辦了一個類似短期
習班的「台灣寫真講習所」，擔任所長，下聘幾位講
，教授攝影技術之外，也教相關法規和攝影師的倫理
德，還教經營一家寫真照相館的方法。每次課程為期
個月，招募學員三十人，學成就能獨立開照相館。這
講習所有模有樣，還頒發結業證書和獎狀。　＊

Original Size（原寸）

■↗H（高さ）75mm×W（広さ）20mm

世界館建於一九二〇年。

太田商店

おおだしょうてん

太田商店位於末廣町五丁目六番地，即今北門與福星國小間的方塊內，與楊雲源住家所在的濱町相距約五百公尺。他最熟悉的上流朋友張鴻圖在標準石油會社上班，社址就在太田商店隔壁的七番地。或許因此之故，才會在末廣町五丁目蓋了唯一的章。

太田的紀念章飄了兩顆氣球，點出營業項目，一個寫「建築材料」，一個寫「淺野セメント」，意即「淺野水泥」。一九三五年刊行的《臺灣大觀》指出，淺野水泥供給台灣百分之七十三的水泥需求，其他的百分之二十七才由日本其他品牌水泥瓜分。

台灣話稱水泥為「紅毛土」，意指洋人的舶來用土。對日本也是一樣，才會使用片假名セメント來翻譯cement。十九世紀末，淺野水泥已開創日本最早的水泥工業，一九一七年來到高雄鼓山設立台灣第一工場，一九三一年再設第二工場，產能甚高，還能輸出香港與中國的上海、青島、福州、汕頭。戰後，日產被沒收，淺野水泥高雄工場被接收改為台灣水泥鼓山廠。 ＊

Original Size（原寸）
●↖ D（直径）60mm

大稻埕
太平町
○
蓬萊ホテル
双連驛
双連市場
双連金庫店
松英堂藥舖
日新公學校
公學校
第二人類愛の家
有水弁護士
千代旅館
湯野商店
巴里床
朝日屋
福井館
新豊堂
金田製菓
勝春堂
永福堂
済陽堂
智雄商会
林記洋服店
丸樹食堂
宝輪自転車店
長尾弁護士
新舍
住宅
共榮鉄工所
高山鉄工所
大均工場
三吉鉄所
台湾鉛條所
徳成機械店
双連自動車
双連医院
河間洋服
泉記商店
松本商店
共榮堂
正安堂
恒仁薬房
日光鍍金
義利商店
馥泉行
二見湯
勝益商店
双連木工場
山元鉄工場
博愛堂
萬寶堂
新錦興
文安書房
双連理髮
元山商店
十字堂
生裕堂
日洋舍
日新工作所
三成工作所
日新湯
高進商行
富永クラブ
康榮藥舖
成建商店
三谷歯科

永樂町
日新町
永樂市場
鉄道購買
サロンOK
DAITON

四川ホテル

しせんほてる

（四川旅館）

台北火車站出來往西走，到北門前右轉，過鐵路平交，進延平北路，右手邊不遠處，就可以看見三層樓、樓面有漂亮雕飾的四川旅館。不過，四川旅館出現新聞上的時候，多不是好事。

一九一三年，台中一位二十九歲的潘姓醫生，穿西，剪「五分刈」（一公分半長的頭髮），人模人樣，來到北入住四川旅館，卻改名換姓，自稱施天來。召了藝彩鳳，又找了十六歲的張姓少女回四川旅館陪喝酒，留宿一夜。隔天意猶未盡，再去北投溫泉旅宿豪飲。紙說，他強灌酒，張女喝醉，他拿出「白粉藥令服」，女馬上昏迷不省人事，「任施輕薄」。現代的夜店情，竟然一百多年前就由醫生脫序演出過。隔天，潘醫付了房間費，跟旅館說張女生病，需要靜臥，就走人。後來旅館發現，趕快急救張女，告向警察，醫生亂的事才曝光。

到了博覽會的前一年，四川旅館的新聞更燒到自己身來了。六月初的晚上十一點，四川旅館的樓上有好幾人違法聚賭玩四色牌。警察捉去訊問，同時嚴重懷疑本是旅館何姓女老闆設賭，最後判定四川旅館停止營兩個月。

＊

Original Size（原寸）
●↖ D（直径）30mm

手邊不遠處，可以看見三層樓高、樓頂有漂亮雕飾的四川旅館。

（臺灣名勝）臺北太平町通（若林基隆堂發行）
Taiheicho-dori Taihoku.
金山旅館
美華軒洋服店

正文堂
せいぶんどう

本浮世繪裡看到的牛，不是載人、載蘆草、薪材，就在拉車，沒有半隻牛在田裡耕作。台灣人對牛的印象完全不同了。灰黑色的水牛，總是在耕田勞動。對日時代的日本人來說，水牛代表了台灣農村，也是台灣重要意象之一。水牛在小溪裡泡水，只浮出牛頭，感如日本人者，更看得津津有味，感覺是洋溢「台灣情」的一景。正文堂印舖的紀念章以水牛為主圖，佐以子樹，無疑都在凸顯台灣的風土色彩。

章上的「太平町二」意指太平町二丁目，也就是今天長西路到南京西路之間的延平北路一段兩側。一九三二的台北市職業別地圖，標示了正文堂的位置，很接近安西路口。

紀念章裡，牛頭和牛腳之間的草地上，有魔法般的數「10.10.10」，三個 10，還原成中文，意指「昭和十年月十日」，也就是台灣博覽會的開幕日，推測並非楊源造訪正文堂的日子。＊

Original Size（原寸）
■↖ H（高さ）80mm×W（広さ）55mm

アポロ

あぽろ

（阿波羅）

這是一枚充滿藝術氛圍的紀念章。

最下方三個奇形怪字是日文平假名，「アポロ」意指英文的 Apollo，也就是希臘神話裡的第一美男神阿波羅。他集光明、聰敏、英勇等美好特質於一身。是太陽神，也被奉為醫神、預言之神，音樂歌唱之神，也是各藝文之神的首領。

紀念章的人像正是阿波羅，模仿自梵蒂岡博物館典藏的雕像「觀景殿的阿波羅」，這是全世界公認最經典的阿波羅形象。原雕像一樣右肩披掛斗篷，右手扶著樹樁，但背後的箭籠不見了，左手也改握著迎風飄盪的旗幟。紀念章裡的旗幟上，「記念寫真ナラ」幾字意指「如果要拍紀念寫真照片，請到阿波羅」。

這一家位於太平町二丁目四十三番地的寫真館（照相館），取名阿波羅，洋派得跟周邊的相館風格完全不同。大稻埕的相館多半跟日本人一樣，以自己姓氏為店名，如「楊寶財」、「羅訪梅」。

事實上，彭瑞麟跟一般寫真師從學徒養成也不同。他生在醫生的家庭，就讀台灣高等學府總督府國語學校，一九二三年返新竹家鄉擔任公學校教師，一路是典型的菁英。但彭瑞麟不滿足現狀，鄉下教員只當了三年，就到日本東京寫真專門學校，正規學習寫真藝術。

一九三一年，彭瑞麟學成返台，到太平町亞細亞旅館的二樓開設寫真館。國語學校時代的美術老師石川欽一郎建議店號為阿波羅，如太陽神一般發光發熱。彭瑞麟確實熱情投入，創立「阿波羅寫真研究所」，招收學生，還常開作品展覽會。 *

Original Size（原寸）

●↗ D（直徑）38mm

天然色寫眞
高級寫眞
永久不變色
寫眞、擴大
複寫等々

責任製作者
東京寫眞學士　彭瑞麟

アポロ寫場

臺北市太平町三ノ二
（元亞細亞ホテル二階）
呼出電話一四四九番

灣第一位攝影學士彭瑞麟學成返鄉，
設照相館提供專業的攝影服務。

本時代，阿波羅寫真館的櫥窗廣告。

瑞麟（前排坐者左二）與學生攝於阿波羅寫真館。

APOLLO
アポロ
APOLLO
アポロ

富文齋印鋪

ふぶんさいいんぽ

本時代，要展示台北台灣人住區的繁榮，大家喜歡拍太平町二丁目。二丁目的起點就在延平北路與長西路口，路口右側三角窗的增全齒科醫院常會入鏡。九二〇年，陳增全就走在時代最先鋒，從東京齒科醫學成回台在太平町開業，成為第一梯隊的台灣現代牙師。

增全齒科往北走沒兩、三家店，就會遇到這家富文齋舖。

富文齋推出三個紀念章，有牧童騎牛那一枚，可能是有楊雲源蒐集的紀念戳章中最費刻工。除了重現博覽「子供の國」（兒童世界）和演藝館的兩個場區，還超實布局，讓牧童騎牛進場，讓牛以角頂著印章。

牛背上，牧童展書讀，書頁擠在一起的字，其實是首五言絕句；「博用毛為印，覽看角勝柴，會將牛紀，台北富文齋」，硬把博覽會和富文齋都崁進詩中。＊

Original Size（原寸）
●↗ D（直径）51mm
■↗ H（高さ）35mm×W（広さ）40mm
■↖ H（高さ）74mm×W（広さ）82mm

勝芳商行

しょうほうしょうこう

勝芳商行採用了少見的心形紀念章，搭配朱紅顏色，更顯熱情和活力。一般會以為心形源自西方，日本傳統紋樣其實也有此形，奈良千年大寺東大寺的鐘樓，懸魚上就有幾顆心。只是當初日本人並不認為那個圖案代表「心」，而更像是豬眼睛，稱之「猪目」。

勝芳商行心形章中央，不仔細看，有點像水母，但其實是一隻兩眼炯炯的鶯，呼應勝芳鞋子的商品名「名鶯」。勝芳老闆潘有才出身鶯歌，可能是這一切的源頭。

潘有才原本在家鄉鶯歌開設足袋（日本二趾襪）的工場，還從關東聘請十幾位日本職工來鶯歌，結果商品大受好評，行銷全台。事業日隆，不甘蟄伏在鶯歌鄉下，於是前進台北大稻埕的核心，在太平町二丁目四十六番地氣派的三層洋樓，改張勝芳商行的招牌。 *

Original Size（原寸）

■↖ H（高さ）56mm×W（広さ）72mm

↗
勝芳商行位於太平町中心，
熱鬧的大街正逢城隍爺出巡繞境。
圖片左側上方可見其三角立面招牌。

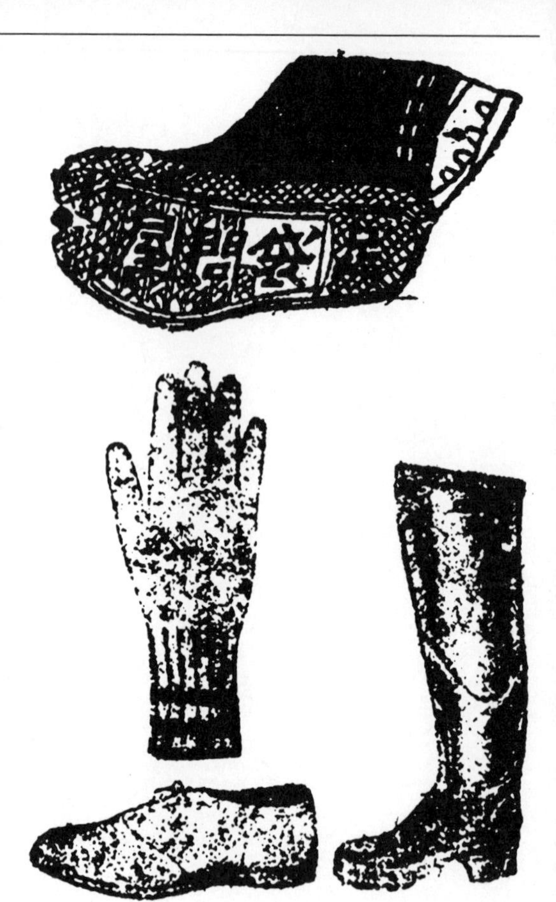

武州月星印菊水印脚袢
虎ゴム光輝印大鬼印錨印
⑧印〰天印ゴム底足袋
名馬印梅芳印ゴム靴製品

臺灣總代理店

（御照會次第相場表進呈）

ゴム底足袋
ゴム靴軍手
運動靴各種
巻ゲートル

卸問屋

勝芳商行

臺北市太平町二丁目四六番地

芳自製各式膠鞋，也代理多種品牌進口。

光食堂太平町支店

ひかるしょくどうたいへいちょうしてん

若談起戰前台北的冰淇淋，光食堂（ヒカル食堂）大概是第一品牌。就跟紀念章上光芒四射一樣，光食堂的分店也「四處」都有。除了本店在榮町三丁目（今衡陽路八十一號），西門町市場（今西門紅樓）前、榮町（衡陽路）二丁目、太平町（今延平北路一、二段）二丁目四十六番地也有支店。

太平町支店最令人驚訝。光食堂的老闆是日本人河野和次郎，會在台灣人聚集的大稻埕開分店，實在是稀有之舉。

光食堂在台北市的四個本、支店都由河野家族聯手經營，太平町支店的河野光由就是和次郎的長兄。這位光由大哥到四〇年代當上了台北市的冰菓子製造販賣組合長（等同公會理事長），當時砂糖採配給制，光由握有分配大權。一、兩年間，與幾位組合員暗地自肥，曾引起報紙痛罵，指稱光食堂系列的各店「所謂光一門」就獨佔九成的配給，是「惡質業者」。以「光」為名的招牌，至此大概蒙上一層灰了。 ＊

↙
若談起戰前台北的冰淇淋，光食堂大概是第一品牌。
照片中，光食堂招牌的側面
可以看到「アイスクリーム」（冰淇淋）幾個字。

Original Size（原寸）
■↗ H（高さ）62mm×W（広さ）63mm
■↖ H（高さ）40mm×W（広さ）52mm

食
和洋食喫茶
アイスクリーム
小川本店

太平町支店
堂
喫茶
和食料理

羅訪梅畫像寫真館

らほうばいがぞうしゃしんかん

台灣博覽會那一年年底，全台灣人口四百九十九萬，其中，日本人快二十七萬，中華民國籍則有五萬三千九百人，街上望去若有一百人，就有一位中國人。中國人在台灣有各種職業與角色，縫衣、司廚、拉車不少，但像羅訪梅這樣的畫像師，應該絕無僅有。

一九二三年報紙說羅訪梅從廣東「來台十餘載」，因此，推估他大約一九一〇年前後到了台灣。一九二二年正式在太平町二丁目（今長安西路與南京西路之間的延平北路一段兩側）開立自己的畫館「見真軒」，並開班收學徒。樓高三層，他在二樓作畫，學生在一樓學習。慢慢又擴及寫真照相。一九二六年，鄰居失火時，羅訪梅三樓的「寫真場」也遭了殃。

報紙也曾指出，羅訪梅毛筆、炭筆、水彩畫都精。事實上，後來也畫油畫肖像。博覽會前一年，他還以膠彩畫了一幅「虎」圖，入選了台灣美術展覽會的東洋畫類項，東洋畫入選數也不過十三件而已。

羅訪梅的兩枚紀念章，大者主圖案推出達摩祖師，想必他筆下常有佛教相關畫像。小枚章圖案單純，作畫中的戴帽男士，則宛如他的自畫像了。 *

↖
畫像師羅訪梅。

Original Size（原寸）
●↗ D（直径）46mm
■↗ H（高さ）99mm×W（広さ）77mm

斗文齋

とぶんさい

Original Size（原寸）
■↗ H（高さ）68mm×W（広さ）49mm
■↖ H（高さ）74mm×W（広さ）82mm

跟現代人做筆記、畫插圖一樣，斗文齋的台博紀念章從店名拉出一條箭頭線，指著一個瓶子似的東西，其實，那是日本時代印章的符號，斗文齋是一家印章店。依一九三三年版的《台北市商工人名錄》記載，斗文齋老闆叫施九，店位於太平町二丁目五十七、五十八番地，與羅訪梅畫像寫真館同址，在今天延平北路一段的東側，甘谷街到南京西路之間。

紀念章出現的鴿子似乎跟印章店毫無關聯，但是，不管是三〇年代或博覽會期間，鴿子的存在感超強，很難假裝沒看見。博覽會的主海報，就有一隻展翅的大白鴿占據了七、八成的畫面。博覽會開幕當天，也有從第一會場的陸橋（今中華路、西門站大路口）放鴿子飛的活動。當時，霧峰豪門林家的林獻堂參加公會堂（今中山堂）的開幕式，他在日記上寫道，「出館時適放傳書鳩（按，意即信鴿）數百，飛舞空中，頗為雅觀」。

紀念章上，愛鳩的「鳩」，意即日文的鴿子。日本時代，台灣人也跟著用鳩字，譬如有個台北愛鳩會；大稻埕的台灣人鴿舍，蓬萊町有個樂鳩會，太平町有個瀧鳩會。當時的人養鴿子，訓練成為傳書鳩，一方面賽鴿競翔，一方面偶爾也參與軍隊任務。一九三五年四月中部大地震，台北憲兵隊帶了信鴿前往苗栗救援，擔當通信之責。報紙說，期間「被鷹所襲」，「負傷不屈」，軍部將要表揚。有功的信鴿就出身樂鳩會和瀧鳩會。

紀念章中，鴿子背上的那一句日語「守れ台湾」（守護台灣），也不是隨便說說。人們早在千年前就知道鴿子可以傳遞消息，第一次世界大戰時，電話線會被炸斷，馬匹無法在槍林彈雨中保持冷靜，鴿軍卻能夠凌空穿越，大大發揮戰地連絡的功力，單單德國就動用了三十萬隻傳書鴿。

一戰後，日本開始設置鳩軍，一九二二年，東京工兵電信隊送來一百二十隻傳書鳩給基隆要塞司令部，雌雄各半，台灣也開始訓練，信鴿因此具有軍事性格，不像現在只供休閒、競賽而已。 *

↑
博覽會開幕當天，也有從第一會場的陸橋（今中華路、西門站大路口）放傳書鳩的活動。

↑
台博期間有一「國防日」的活動，遊行到榮町街上的隊伍中，可以看到有人裝扮的傳書鳩。

藏文齋

ぞうぶんさい

如其名，藏文齋藏而不顯。

現在，日本街頭還常會看見欄杆用鐵線綁一塊木板，上周邊商家的地圖。日本時代，就曾出版過許多此類工商職業地圖，上面寫滿商店的店號。目前常見的台市工商地圖有一九二八、一九三二和一九三五年博覽當時的幾張。其中，完全找不到藏文齋，不知道身在處。

藏文齋的紀念章也做得毫不囉唆，一無線索，不像一商店會刻上電話號碼或町名、丁目。唯一只能從「紀」兩字判斷，因日文都寫「記念」，藏文齋不太可能是本人開的印鋪。

終於，一九四〇年出版的《台北市政二十年史》裡，一張太平町二丁目的街景照片，藏文齋深色底的招，襯托得藏文齋三個字更醒目。太平町二丁目有兩個明的地標，一是最前頭的增全齒科，一是居中的最高「張東隆商會」。依照片看，藏文齋就位於兩地標之，與張東隆只隔兩家店面。 ＊

Original Size（原寸）
■↗ H（高さ）50mm×W（広さ）35mm

文齋與太平町二丁目的最高樓「張東隆商會」只隔兩家店面。

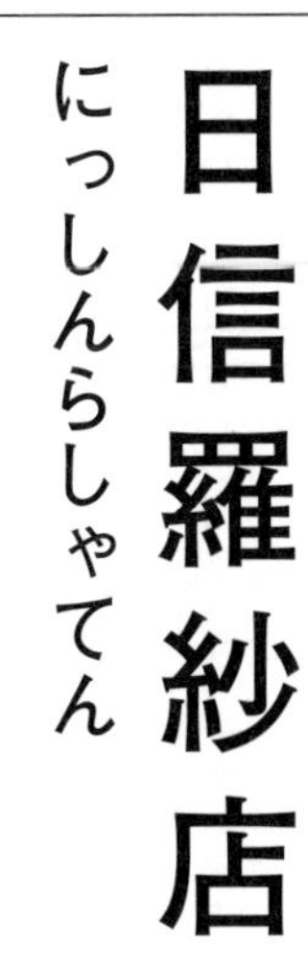

紀念章上的日信羅紗店，在一九三六年版《台北市商工人名錄》裡，登記為「日信商會」，是一間裁製洋服的商店。職業別地圖也標示為「日信洋服店」。日本時代，洋服店專指男士西服裁縫店。日信生動的紀念章也如實顯示，穿著紳士的裁縫師正在幫另一位穿體面西裝的男士客人量尺寸。

日信洋服店位於太平町二丁目五十二番地，老照片上可以看見，它緊挨著大大有名的地標高樓「張東隆商會」。張東隆在日信的北邊，以現在地址編號的邏輯，張東隆應該地號更大，但實際上，張東隆反而是五十、五十一兩番地。

日本時代，全台的男士西服裁縫多半是日本人和中國來台的福州人，日信洋服店老闆盧塗枝應該也是福州人。 *

↙
日信洋服店緊挨著大大有名的地標高樓「張東隆商會」，
樓面上的英文即「張東隆商會」日語發音的音譯。

Original Size（原寸）
■↖ H（高さ）51mm×W（広さ）42mm

RASHIATEN

*

林裕益洋品店

りんゆうえきようひんてん

裕益洋品店地址為太平町二丁目一百二十番地，在今
延平北路一段的西側，甘谷街與南京西路之間。日本
代，林裕益隔壁幾間，南京西路口那邊有菊元布行；
著延平北路，對面有賣進口美國汽車、賣石油的張東
商行大廈，兩者都是太平町的名店。

林裕益商店販賣的舶來洋品，紀念章上以一頂絲質大
帽（Silk Hat）作為代表。這種禮帽不是普通人家的衣
會藏放之物，只有上流階級出席正式典禮或富二代當
郎時，才會如鑽石般出來解說何謂豪門貴冑。

林裕益的老闆不叫林裕益，也以圓形內放「裕」字為
標，老闆林送來似乎對裕字特別鍾情。

台灣在日本時代以前並沒有商標權的概念，茶商出口
葉，偏愛許多傳統圖案，交相採用，只以店號區隔。
治以後，引入商標登記制度，知者跑在前，把一堆圖
登記為商標，頓時一群同業都犯了侵權之罪。此事在
治初期鬧了好幾年，把商界都鬧懂了商標權這件事。
家逐漸設計出專屬於自己的標記。

日本商店的商標喜歡用圓形、壓扁的菱形。上面兩
如屋頂，下方再放片假名或漢字的圖案也不少人採
。台灣商店跟著模仿，三〇年代，各店多半都有商
。大稻埕的糕餅名店寶香齋就是圓中寫「寶」字，洪
泰布店也是圓中寫「洪」字，張東隆則用菱形，中放
東」字。 ＊

Original Size（原寸）
■↗ H（高さ）88mm×W（広さ）58mm

菊元商行

きくもとしょうこう

看到紀念章上的「菊元」，涉獵日治史的人一定馬上聯想到台灣第一家大型百貨公司「菊元」，兩者確實相關。菊元百貨位於城內榮町（今衡陽路），是一九三二年的新產物。太平町的菊元商行才是根基本店。

菊元創辦人重田榮治出身山口縣，一九〇三年二十六歲時來台，鑽入台灣人聚集的大稻埕，緊靠南街（後稱永樂町、今迪化街）的布商，販售棉布，主要供應給在台日本人。菊元商行位於太平町二、三丁目交接的路口，可以說是太平町繁華的中心點。紀念章上，可見太平町菊元的兩層樓三角窗建築。

過去大稻埕的商家，不少習慣把姓氏冠在商號上，譬如張東隆、高源發、莊義芳、柯隆順、周達成，也有許多三個字的店名，像是老合成、義恆發。對於日本來的菊元，商標是一個「榮」字，取自老闆重田榮治的名字，大家習慣稱它「菊元榮」，如此，菊元似乎就更融入大稻埕了。

菊元百貨身為城內頂尖商店，楊雲源的筆記本內並沒有看見戳章，但是，他竟然收藏了菊元百貨博覽會紀念章的原物。如何取得，已不可考，但是，可以確定他是紀念章收藏界的前輩。 *

Original Size（原寸）
●↗ D（直徑）45mm

↘
一九三二年另於榮町開幕的菊元百貨，
樓頂有大大的「榮」字招牌。

↗
楊雲源收藏了菊元百貨
博覽會紀念章的原印。

瑞祥
ずいしょう

灣博覽會前一年的夏天，大稻埕太平町的台灣人商家出一個有獎的「變裝」活動，打消一點暑氣。

「變裝」是日本時代常見的詞彙，更多時候是用日文漢的「假裝」，就是喬裝巧扮。日本人在慶典搞變裝，平餘興節目也喜歡變裝。太平町這次玩的是假裝搜索，家變裝後走到大街上，只允許在附近幾條街區的範圍移動，然後，隨人捕捉。發現者必須當場說出那是哪家店的人，裁判確定後，就可以得賞。這場變裝遊戲一個特別的禁令，不准扮成官吏和婦女。大概考慮前冒犯「大人」，問題很大條，後者怕有人藉故對路過的辜婦女毛手毛腳，更是失禮。

參與變裝活動的十來家商家中，瑞祥是一家洋雜貨，賣化妝品、毛衣、外套、桌巾等等，當然還有紀念上圖案明顯的褲襪。

日本時代，商品有了「洋」字，大抵可以推斷背後都是高級品的商店。瑞祥位於太平町三丁目二番地，與著的菊元商行在今南京西路與延平北路的十字路口，對相望。目前舊建築還在路口說太平町盛事。這棟建築前應該容納了許多店家，日治有一種賣酒的咖啡館「カェー」興起，台灣人的第一家カフェー叫「維特」，就路口德記布行的二樓。

洋品。化粧品。
洋裝附屬品。
帽子。旅行鞄。
毛布。空氣枕。
絹綿蒲團、袋物。
絕對正札

Zuisho
瑞 友 祥
台北太平町
電237番

瑞祥售有化妝品、帽子、旅行手提包等等。
廣告裡的「正札」，意指有標價，不會漫天開價欺負客人。

Original Size（原寸）
■↗ H（高さ）52mm×W（広さ）65mm

尚古堂印房

しょうこどういんぼう

尚古堂紀念章看起來平庸無奇，就是一家普通的印章店，兼售萬年筆（鋼筆）。不過，此堂地址為太平町三丁目二十八番地，與歷史名人蔣渭水醫生的診所「大安醫院」同一地號。

大安醫院為兩層樓，佔三間店面，其中一個樓面掛起大招牌，寫著「台灣民報總批發處」、「台灣人唯一之言論機關」。後來又創設文化書局。一九三二的職業地圖上，文化書局往北的第一個鄰居就是尚古堂。然而，這種地圖並非標誌每一家商店，無法斷言兩家僅僅一牆之隔。不過，二〇一七年出版的攝影集《看見李火增》中，恰巧有一張照片，李火增站在今天窄窄的延平北路二段三十六巷拍向太平町大街，尚古堂橫式招牌三個字剛剛好落入鏡頭。比對下來，尚古堂即位於今天的延平北路二段三十七號，與大安醫院所在的現址義美門市，還相距兩個店面。

尚古堂還有一點特殊。太平町在大稻埕，幾乎可說是台灣人的商街，不過，仍有少數日本商人混跡其中，知名的布行「菊元」如此，尚古堂也是，老闆是一個叫尾形喜三的日本人。

*

Original Size（原寸）

●↑ D（直径）55mm

●↖ D（直径）60mm

高源發吳服店

こうげんほつごふくてん

念章上的建築就是高源發吳服店，今天還矗立在延平路二段六十三號，被功學社妥善保護完好。而且，奇巧合，當年高源發的地址也是太平町三丁目的六十三地。

高源發由台北市人高地龍創辦，很早就已成知名大布。一九一二年，台灣最大報紙《臺灣日日新報》報導北重要物價，布帛類便以高源發為標準。從條目看，源發的進貨有杭州的秋羅、官紗、紡綢，也有江蘇海的海寧紡，其他還有香雲紗、太西緞，都是傳統台灣使用的中國布料。隨著日本統治愈久，高地龍也會到阪、神戶、東京辦貨買布。《台灣省通志稿》就說，日中期，台灣進口布料的主要供應地從中國改為日本。灣人的主要衣料，也由日本產的棉布取代了中國產的綢。

高地龍商業根基在永樂町，有舊樓，後來才在太平町建新樓。兩處都經營布匹買賣。但其實他也是台北市車系統的先驅，二〇年代在馬路上跑的公車並非「公」的，高地龍開拓許多私營路線，一九三〇年才被台市役所（市政府）收購，歸於公營。 ＊

九一二年高源發刊登廣告，
他們的洋服部請日本師傅，用歐美進口布料，為顧客裁製西服。

Original Size（原寸）
■↖ H（高さ）39mm×W（広さ）55mm

廣告

弊店洋服部は一大刷新相加へ其製品は技術堪能なる內地人職工に因て調製せしめ些の遺感なきを期すると同時に地質は歐米流行界の粹を直輸入し而も廉價を以て貴需に應し候間地質御一覽の上御用命相願ひ度市內は電話にて御通知被下候へは直に見本持參店員爲伺可申候

臺北大稻埕南街四十番戶

綢緞布
疋羅紗 商

高源發商行服洋部

（電話八四八番）

虎標永安堂

こひょうえいあんどう

牌的虎標萬金油其實來自緬甸仰光，不是產自台灣的土品牌，所以，當一九三〇年春天，永樂町（迪化街）中藥店「乾元」開始代理虎標萬金油，祭出買萬金油以獲得一張戲院入場券，同樣在大稻埕的正元藥行蔡闆跟他拚了，隔年也去造了一牌；人家用虎，他用猩當標誌。報紙指出，因為「舶來他國」的萬金油，「利之外溢」，蔡老闆於是重資研發，推出「猩標萬金油」。

一直到一九三五年博覽會前，虎標永安堂的萬金油五間換了幾次總代理。先是乾元，沒半年，就換成永樂的楊裕發商行，四年後不歡而散，永安堂還登報罵楊發的老闆「不自愛且無心擴張」，拖欠巨款。隨後代權移到太平町一丁目的吉祥藥房。又不出一年，永安索性自己從新加坡派人來開設台灣分行，租下太平町丁目八十六番地（即今延平北路二段八十三號，勞動所在地）的店面，一九三五年九月三十日，正式遷入業。

十天後，博覽會正式開幕，虎標萬金油台灣分行的台章大概是所有紀念章中最年輕的了。＊

標永安堂在台灣博覽會分場做了大型廣告物，隻老虎趴在地球上，不注意也難。

Original Size（原寸）
●↑ D（直径）48mm
■↖ H（高さ）30mm×W（広さ）70mm

虎標永安堂
ENG AUN TONG
THE TIGER MEDICAL HALL
SINGAPORE
馳譽寰球

TIGER TRADE MARK
REGISTERED TJAP HARIMAU
ENG AUN TONG
HEADACHE CURE
RANGOON
虎標永安堂
萬金油
TIGER BALM TJAP HARIMAU ENG AUN TONG
TIGER TRADE MARK
REGISTERED
ENG AUN TONG TIGER BALM
ENG AUN TONG (TJAP) HARIMAU TIGER BALM
MATJAM
REGISTERED
ENG AUN TONG
The Tiger Medical Hall
87 Neil Road
SINGAPORE

義興隆

ぎこうりゅう

riginal Size（原寸）
←D（直径）24mm
↗H（高さ）32mm×W（広さ）74mm
↑H（高さ）56mm×W（広さ）75mm

雖然名為「義興隆羅紗店」，羅紗是毛料布，但一九三六年版的商工人名錄把義興隆歸到日本布料「吳服、反物」類，義興隆的商品幅度可能不是一、兩類。義興隆位於太平町三丁目一六三和一六四兩個番地，電話三三三五，老闆為蔡兩全。

在楊雲源的紀念章戳蓋本子裡，義興隆簡單的小圓章與旁邊的雙馬、豹王章緊緊相連，同為藍色，而且豹王與雙馬兩章有相同邏輯的圖文安排，推測兩章可能都是香港進口布料的商標。

監製的「義和洋行」是台灣商人很熟悉的老洋行。日治初期，大稻埕有八洋行，四英商、四美商，義和屬英商，總公司設在香港，分店超過十個，散布在中、日、台各港市。台北的外商洋行多做茶葉出口生意，義和比較多角經營，也進口香港機器製白糖、香港水泥等。

英美洋行下都有能說英語的買辦，台北義和洋行早期的買辦叫容祺年，來自廣東香山，他和父親容伯昭兩代都是義和的買辦，據一九〇五年的報紙指出，三十六、七歲的容祺年「長于商業」，買辦圈人人稱讚。另一方面，「蓄妾」四、五人，「兒子亦一打以上」，跟日本藝妓「時有往來。揮金若土」，「豔福之名甚著」。

容祺年的英語能力其來有自，中國第一個留美學生容閎正是他的堂叔。一九〇一年初，容閎曾經來過台灣，就住義和洋行。那一年，容閎已經七十三歲，見了兒玉源太郎總督，相談甚歡，引為人生最重要的回憶之一。除此之外，十九世紀的六〇年代，容閎曾在基隆哨船頭買了地，處理地產也是此行來台要務。 ＊

太平食堂

たいへいしょくどう

開一九三六年的台北電話簿，台北市有快二十家有電的食堂，位於太平町三丁目一百八十六番地的太平食明明也有電話，卻不在電話簿的名單中。

日本時代的早期，學校有食堂，公務機關有食堂，九一二年火車上也開始有食堂，一般街上卻沒有叫食的餐飲店。一直到二〇年代初期，一種帶著平民、簡、平價色彩的餐飲店，才以食堂之名出現。一九二一在今館前路誕生的食堂，報紙就指出特色之一是早、午餐、晚餐都有一定時間。

一九二四年，著名大酒樓東薈芳慶祝開業四十載，外開設了如意食堂，強調價格便宜，小集小飲都很利又經濟。打開如意食堂開幕時的廣告，詳列了菜單，一窺日本時代食堂的內涵。廣告上共三十五種商品，雞絲意麵、炒火腿飯、炒米粉等十二種麵飯類。點心有水餃、菱角餃、椰子餅、火腿油餅、千葉糕、麵包。冰品有冰淇淋和草莓冰。熱飲則有西洋味的咖啡、茶，也有本土風的杏仁茶。 ＊

Original Size（原寸）

■↖ H（高さ）30mm×W（広さ）45mm

学文堂
がくぶんどう

很有趣，乍看學文堂的紀念章，許多人都是指著左邊的大瓶子問，「保齡球的球瓶嗎？」

答案是，「不是。」

日本時代的台灣沒有保齡球運動。日本德川幕府末期，給長崎的外國人在大浦那邊畫了一塊居留地，一八六一年六月二十二日，當地報紙刊登了保齡球館開場的廣告，於是，日本把這一天訂為保齡球日，紀念第一顆保齡球登陸。坂本龍馬去居留地找過朋友，於是，日本人也在那裡亂想像，坂本龍馬好新鮮，或許他是第一個打保齡球的日本人。

回到太平町三丁目學文堂的紀念章。像保齡球的東西其實是印章，日本時代的印章店總以此為標誌，如同現在一看紅白藍旋轉燈，就知道是理髮廳一樣。

太平町三丁目為南京西路到民生西路之間的延平北路二段兩側，範圍比一、二、四、五丁目都大，有兩百多番地，商店繁多。義美創始店在此，波麗路在此，虎標萬金油也在三丁目內。根據《台北市商工人名錄》，以一九三六年七月為時間基準，營業稅額十圓以上者，太平町三丁目超過一百二十家。楊雲源拜訪蓋章的學文堂、周朝日、太平食堂都還不在名錄中，可見三丁目的龐雜。

目前只能由一九二八年出版的《台北市六十餘町案內》一窺學文堂，只知老闆有個讓人過目難忘的名字，叫「楊媽」。

*

Original Size（原寸）
■↑ H（高さ）55mm×W（広さ）60mm

獻堂是台灣舊豪族霧峰林家在日治時期的核心人物，
在一九四一年四月一個星期三的日記寫道，六點半到
北火車站前的鐵道旅館晚餐，之後到太平町三丁目
百九十番地（今延平北路二段三十八到五十八號之間）
「孔雀」續攤，竟然沒有位子。

一九四三年二月一日，再過幾天就農曆除夕，林獻
又到台北參加大成火災董監事會。看起來是日治的末
，歷史對當時的印象彷彿陷入戰火之中，但這家公司
年純益有一百六十幾萬圓。大成火災會社準備留下
百五十萬，其餘十幾萬分配給股東。晚上同為董事的
熊祥請客，地點又是孔雀。座中客除了林獻堂之外，
有羅萬俥、顏欽賢幾個台灣史上名人。

可見，孔雀的廣告自我標榜「高級社交場」，不可謂為
言。

孔雀是一家一九三二年秋天開業的咖啡館，當年這種
啡館的日語稱為「カフェー」，不似現在的單純喝咖啡、
貝果的地方；カフェー裡頭有咖啡，更多是酒，還有
座的女性「女給」。一九三三年，孔雀還辦女給們的
女王選舉」，據《台灣新民報》報導，「顧客各可選舉各
所愛的人氣女給」，前三名分別封號「孔雀」、「金雀」、
銀雀」。

台灣人在台北開多家カフェー，但唯獨孔雀的老闆
博容是真少爺，出身富貴。台北有一家知名茶行「錦
」，其實是南洋華僑巨賈郭春秧在台的事業，報紙曾
容郭春秧是「南洋第一成功者」，來台灣時，總督都曾
他吃飯。郭博容就是他的姪子，在錦茂擔任副支配人
副總經理）。

一九三三、三四年間，郭博容還曾創辦了「博友樂」
片公司，專出台語歌，為孔雀惹來麻煩。

看照片左側，二樓深色看板上寫著「孔雀」。
輛人力車停在門口等待載客。

孔雀カフェー

くじゃくかふぇー

（孔雀咖啡館）

Original Size（原寸）

■↑ H（高さ）35mm×W（広さ）30mm

■↑ H（高さ）30mm×W（広さ）40mm

●↑ D（直径）45mm

大白天，有人打電話到孔雀找林總經理說，晚上有幾十個人要過去「拜候」。軟中帶硬，假拜訪卻是真撂狠話。當晚沒出現，隔夜七點來了。果然五、六十人，分成七、八團上樓，各佔一桌。報紙記者寫得巧，「以合法手段妨害營業」。再隔一天，故技又施一遍。

搞了半天，原來是郭博容新發的唱片《內山查某》，歌詞諷刺、污辱了這些「走水業者」(跑單幫)。最後，調解得到三點結論，郭博容同意銷毀庫存，雙方都供認責任不在郭博容而在編曲家，雙方同意努力去回收市面上的唱片。六天之後，雙邊人馬再一次相聚在孔雀，舉杯大和解，還請來警察、憲兵隊、各報記者光臨見證，大鬧孔雀的事件到此圓滿落幕。 *

周朝日商店

しゅうちょうにちしょうてん

台博紀念章裡的周朝日商店，被繪成一棟扮家家酒的立體紙玩具洋房，右側可見舊時的紅磚拱圈騎樓。如果今天有一家商店這樣畫宣傳品，應該還是很吸睛。

這間可愛商店卻不見於任何地圖或報刊，資本資料闕如，只能從紀念章上了解一二。

紀念章上標示周朝日商店的地址「台北市太平町三ノ」，最後一個字是日文片假名「ノ」，「的」的意思。意指位於太平町三丁目，即今南京西路到民生西路之間的延平北路二段兩側。

其他文字則顯示周朝日的營業內容，售有化妝品、帽子，「小間物」為日文，指梳子、和服裝飾性繩結、髮簪、和風袋子、衣裝飾品等等。＊

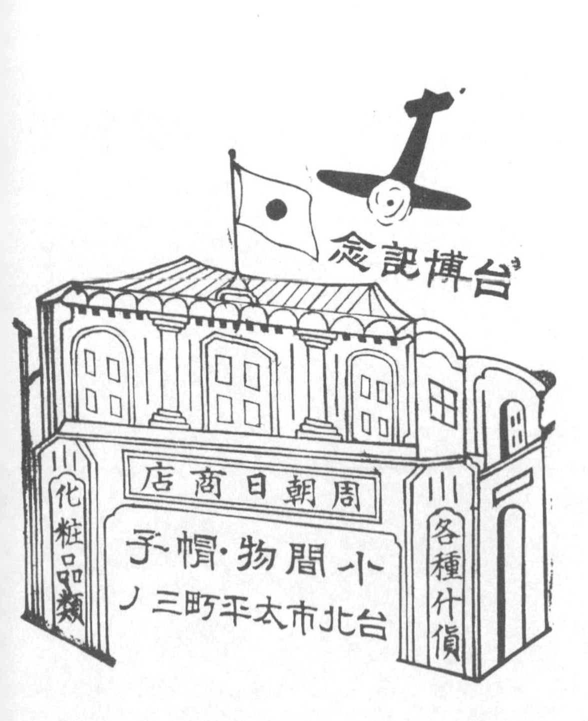

Original Size（原寸）
■↖ H（高さ）80mm×W（広さ）75mm

寶香齋

ほうこうさい

義美和新東陽兩大食品公司同源，都可溯至這家「寶香齋」餅店。義美創始人高番王待在寶香齋長達二十四年，一九三四年自立門戶。新東陽的前身為「東陽」，東陽最初的老闆周天乞在寶香齋工作十來年，一九一九年離開，比高番王更早，並挺進日本商人雲集的京町（今博愛路兩側）立竿張旗。雖然如此，直到二次戰終，東陽和義美的名號都未能超越寶香齋。

寶香齋可說是日本時代台北最有名的台灣人餅店，資格也老；到一九一一年，都已有「三十餘年」歷史。創店老闆余傳臚來自廈門，太平天國起亂，避遷台北大稻埕。在廈門時，余老闆早已受洗，星期天要上教堂，餅店也關門休息。當時著實異類，地方上於是謔稱「寶香齋七天倒一擺」，七天就倒店一次。

日本從明治時代以後，就很愛辦各種「勸業博覽會」、「物產共進會」，讓各地產品互相觀摩，並評發賞狀。一百年前，寶香齋的肉脯、冬瓜糖、「薑砂糖漬」、「文旦皮砂糖漬」、「金桔糖餞」已獲得各種榮賞。中秋月餅也是重頭戲，上海式、廣東式、廈門式、溫州式、福州式、台灣式，一應俱全。每年秋節前，報紙紛紛報導寶香齋有什麼特色或特價。

其他如「和生餅」，有點像長崎蛋糕，但內有包餡，也很受歡迎。據大稻埕老一輩人描述，以前寶香齋也賣鳳梨酥，略為長方，稱之「枕頭餅」，並沒有「鳳梨酥」的說法。雞蛋卷包成四方形，比現在蛋卷白皙，薄薄脆脆的，更是好吃到不行。

至於寶香齋的禮盒包裝，一九一三年有個廣告是這麼說的，把「英國製造餅乾」、「美國葡萄乾」和豬肉脯等產品，「裝入綢緞製成箱盒盒面繪畫種種精巧山水人物美麗絕倫」，「為吾臺各餅舖所無」。

寶香齋其實觸角多元，曾進口過歐美寶石和流行品，設有雜貨部、煉乳部等。本店在永樂町（迪化街），支店分布各處，一九二八年夏天，設了太平町三丁目支店。楊雲源蓋得的紀念章，電話四八二，應是四丁目九十一番地的分店。　*

Original Size（原寸）
●↗ D（直径）60mm

おみやげ物 珍菓 鷄卵巻

御贈答には

其他各種の珍菓を準備してあります…

臺北市太平町四丁目

寶香齋商行

電話四八二番

大稻埕霞海城隍廟祭典行列途經寶香齋支店，人群駢肩雜遝，不難想像當年的熱鬧。

寶香齋推銷自信之作雞蛋卷，稱之「珍菓」。

龍月堂

りゅうげつどう

木工師傅楊雲源蒐集的博覽會章中，相關一百多家商店，不敵時代的浪淘沖打，唯獨太平町的龍月堂糕餅店看板猶在，存續至今。

龍月堂所在的太平町四丁目，範圍不大，即今民生西路到保安街之間的延平北路二段兩側，龍月堂的現址為延平北路二段一百六十九號。

龍月堂於一九三二年創立，台灣博覽會當時，還只是個業界的三歲幼稚園生。現在踏入店內，雖然也賣麵包、蛋糕、三明治，跟一般麵包店無異，但貼在門口的大紅紙，寫著傳統小甜點「吉紅」、「寸棗」，加上白紙紅字包裝的塩梅糕，入口即化的粉狀綠豆糕，老店的基因就藏在這些小處了。

龍月堂還藏有一件老店寶貝，店內複製放大博覽會當時的台博紀念章，掛在顯眼牆上。詢問店員，這枚紀念章實物是否還在，她轉頭望向牆上大大的紀念章說，「不然怎麼會有這個」。 *

特製名產

紅麻酥
鷄卵卷・五仁餅
雪片糕・芭蕉飴
豚デンぶ
豚センベイ
花生糖
文旦蜜錢
新高飴
其他名餅

臺北市太平町四ノ七四

龍月堂菓子店

林燈輝

（電話三〇三七番）

↖
從廣告可以看到
龍月堂昔日的特製名產，
有紅麻酥、雞蛋卷、豬肉鬆、
新高飴（新港飴）等等。

Original Size（原寸）
●↖ D（直径）48mm

廣文堂
こうぶんどう

印舖設計台博紀念章，各自發揮，太平町四丁目的廣文堂把焦點放到「大陸橋」來了。

大陸橋是大大的陸橋之意，位於今天中華路、衡陽路的大路口，與中華路平行，搭建了一個漆乳白色的木造陸橋，專供行人來去，疏散會場的人流。陸橋下方空間也做了利用。正中間是「陸橋食堂」，提供遊客餐飲服務。兩邊接著是警察和消防隊的駐所。再往外的兩側，就是車道及人行步道。

「大陸橋」並非正式名稱，可能因為橋不寬，約五公尺半，長卻一百公尺（日本單位紀錄為五十五間，一間為一・八一八公尺）。有點像鮭魚壽司的圓拱型「裝飾構造」，最高點到地面約十一公尺，相當三、四層樓高；日本時代普遍住平房，仰頭看陸橋，應該更有壯大之感，才會有此暱稱。

當時台灣的鐵橋多長得像後來的西螺大橋，鐵桁交錯，呈多角狀，而非圓弧。台博的大陸橋最像英國英格蘭東北的城市 Newcastle 的泰恩橋（Tyne Bridge）。一九二八年完工的泰恩橋，或許給了七年後的台博一點靈感。 ＊

文堂的台博印章把焦點放到第一會場的陸橋。↙

Original Size（原寸）
■↑ H（高さ）60mm×W（広さ）65mm

金同順

きんどうじゅん

看金同順、慈聖宮這個章，不妨先攤開中國福建省的地圖找一下泉州，那裡關係著大稻埕的移民結構。

晉江、惠安、南安構成一個近乎正三角形，圍著中央的泉州，三地關係緊密。位於泉州西南方稍遠的同安，雖說也屬泉州，但順水而下，河口就是廈門。於是，前三地和同安各自形成貿易圈。前者的商人組織成「頂郊」，後者稱為「下郊」(也稱廈郊)。

兩郊移民到艋舺，利益衝突，一八五三年，頂郊人燒了同安下郊的村莊，還有三十幾個同安人被打死。同安人逃難一般，往北遷到大稻埕。沒想到風水輪流轉，艋舺淤積，外商移到大稻埕，反而讓同安人得利。

日治以前，中國各地來台移商的類似公會組織稱「郊」，各有取名。浙江、福州人的北郊稱金萬利，艋舺泉州人的泉郊稱金晉順，大稻埕同安人的廈郊就叫「金同順」。到了二〇年代，貿易擴及神戶、香港，報紙曾出現「香廈神郊金同順」這樣的主詞。

大稻埕成為同安人的地盤，大稻埕的三大廟中，拜城隍的城隍廟和拜媽祖的慈聖宮都是泉州同安人建立。金同順這個社團組織必然要參與或承辦兩宮廟的祭典，由組織內的成員輪流擔任爐主。

一九二九年，輪到大布商高地龍當爐主。一年間，幾家宮廟迎神祭典加上中元普渡辦下來，金同順支出八千多圓，收入卻只有六千多，帳面不足兩千多，全部都由高地龍自己掏腰包補上。可見金同順的架勢和臂力非同小可，是日本時代台北一個民間大組織。 *

Original Size (原寸)
●↖ D (直径) 45mm

泰美商行

たいびしょうこう

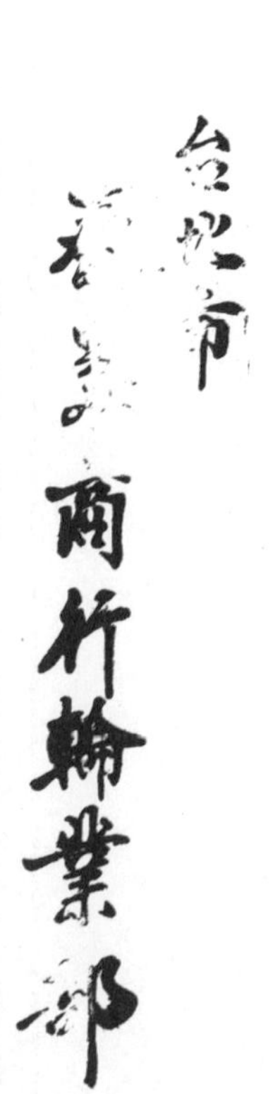

riginal Size（原寸）
↗ H（高さ）31mm×W（広さ）90mm
↗ D（直径）54mm
↑ H（高さ）90mm×W（広さ）20mm
↖ H（高さ）75mm×W（広さ）130mm

楊雲源走太平町，從南到北，連五丁目（今保安街到涼州街之間）都蓋章了。到了五丁目十四番地，攤開紀念章專用筆記本，正在一頁的騎縫線旁，可能有點沒那麼平整，一蓋，店名沒蓋清楚。

費了一番工夫研究，找到答案，原來是「泰美商行」，由陳天順經營，在臺北市役所（市政府）編輯的名錄中，泰美有兩支電話，可見非一般小店。販賣商品則有「食糧品、什貨、石鹼（香皂）、自轉車（腳踏車）」，店章上的「輪業部」所指就是腳踏車。

清末可見馬偕醫生有腳踏車，但進入日治後，才有專門車店，腳踏車並成為大眾生活品。日治初期的第一家腳踏車專門店叫魁輪舍，一九三六年台北的腳踏車店名，進輪、樂輪、源輪、福輪、益輪，跟家族的「輪字輩」兄弟一樣一字排開。單車界會稱「輪界」，腳踏車業會叫「輪業」，也就不奇怪了。

泰美商行推出的三枚跟腳踏車有關的印章，不像台博紀念章，比較像商品宣傳章。腳踏車章比一般大兩、三倍，原印長十三公分，高七公分半。販賣品牌除了三村，還有英國的「Rudge-Whitworth」。 *

精華堂

せいかどう

走過賣腳踏車的泰美商行，楊雲源繼續往北，來到地圖上相鄰的「精華堂」，太平町的商店紀念章之旅已近尾聲。這裡是五丁目，過了涼州街，道路兩邊分立太平公學校和永樂公學校，太平町鬧街景象也逐漸稀薄淡去。

精華堂是一家印舖，紀念店章採用混色，應該不是誤的墨水，之前京町的田中珊瑚店也有類似表現手法。

精華堂的資料缺乏，只有一九三五年的市街地圖未忽略它。採訪了當年的隔壁鄰居，一位年過九十的老太太看著章，頻頻點頭，表示確有其店，不過，細節都記不得了。老太太倒說，家裡開「美東公司」，賣許多食料雜貨，小時候，鮑魚都是一片一片拿來當零嘴吃。太平町舊日的繁華富裕盡在這句話了。 ＊

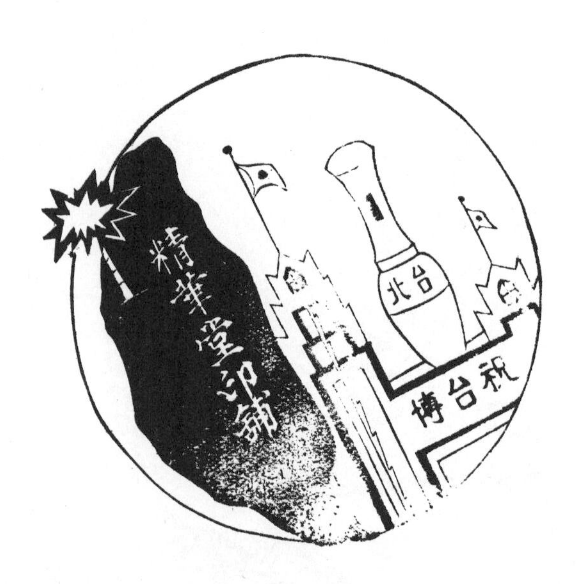

Original Size（原寸）
●↖ D（直径）65mm

友文堂

ゆうぶんどう

盤點一下楊雲源從城內蓋到西門、大稻埕的商店章，刻印店是大宗，有吉井印房、文華堂、文林堂、大學堂、太陽堂、文尚堂、芳文堂、正文堂、富文齋、藏文齋、尚古堂、學文堂、廣文堂、斗文齋、仁義堂、典正堂、精華堂，連同眼前這個友文堂，再加上無法確定位址的天狗堂、小野印舖，總共二十家。店名有「文」字的，竟然高達十一家。

印章店主每天埋首在方寸之間，鎮日與文字為伍，會取「文」為名，想來也是自然。

友文堂紀念章內的「40」緊鄰「太平町」，但並非跟地址有關，而源自台灣博覽會是為日本統治台灣四十年的紀念活動。

＊

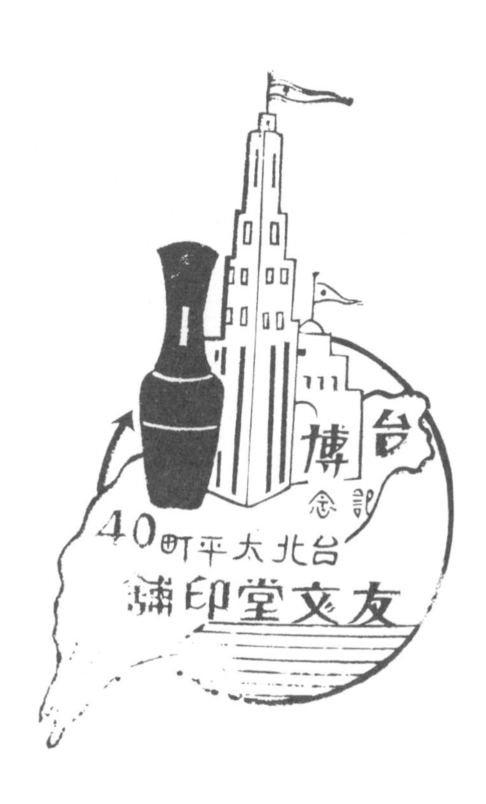

Original Size（原寸）

■↖ H（高さ）88mm×W（広さ）58mm

仁義堂
じんぎどう

↑
主辦單位特別製作
四種顏色徽章，
提供給官員、職員、
出品人、新聞記者使用，
可以自由進出會場。

看到藍色台灣上的白瓶子，就可以判斷仁義堂是一家
章店；日本時代有的印章就長這個樣子。

紀念章上的日文字「太平町通り」，意指太平町大街，
就是今天延平北路一、二段。

仁義堂的紀念章有一個其他商店罕見的台博標誌。
台」字為底，構成菱形，中間只有簡單一個「博」字。
覽會的海報未用這個標誌，在各場館也幾乎沒有能見
，不過，進出博覽會場的人，很貼近這個標記。觀眾
入場票上，都印了這個圖案。

觀眾以外的官員、職員、提供展品的出品人、新聞
者，另有進場方式。主辦單位分別做了深藍、深紅、
、綠四種顏色的徽章，別在胸前，便可自由進出。
章跟衣服鈕扣一般大，圓形，直徑一・七公分，厚
・二公分。材質則為「洋銀」，是一種銅、鋅、鎳的
金，跟銀無關。徽章背面有安全別針，方便別在衣服
。徽章的正面就是仁義堂紀念章所見的台博標誌。 ＊

灣博覽會發行了各式入場券，
人、學生和兒童可享有特別優待，
外還有夜間場，票價便宜一半。

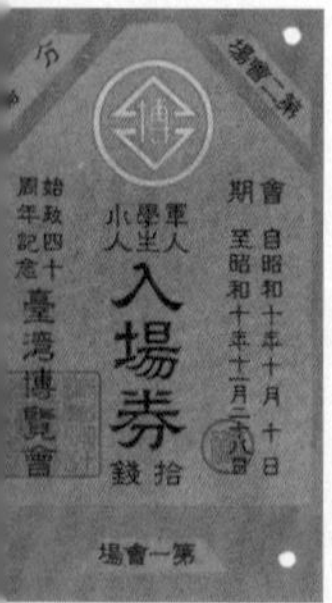

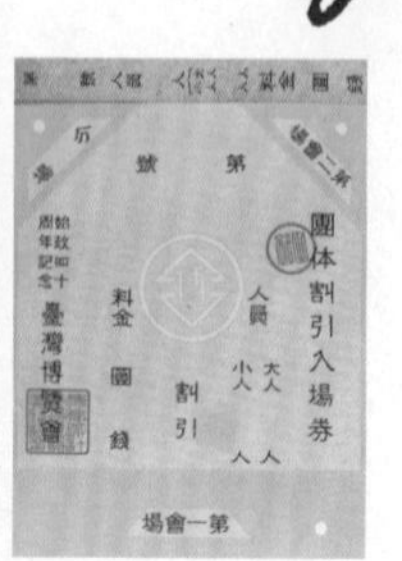

Original Size（原寸）
■↑ H（高さ）82mm×W（広さ）50mm

蓬萊閣

ほうらいかく

木工師傅楊雲源沿太平町大街（今延平北路一、二段），幾乎三、兩步就蓋一個商家紀念章。蓬萊閣位於日新町一丁目一百六十八番地，接近圓環，那一邊，幾乎沒蓋什麼章，蓬萊閣顯然是特意繞過去。

蓬萊閣可說是台北名物，當然值得一蓋。

二〇年代，大稻埕老字號的餐廳新薈芳傳出倒閉，商民一片哀嘆，頓失體面的社交宴飲場所。這時，富商黃東茂英雄式挺身而出，在新薈芳舊址再造風華。一九二七年，蓬萊閣誕生，如老龜脫一層殼，而不像是破殼面世的餐飲小雛。三〇年代，蓬萊閣便與江山樓齊名，公認最具代表的兩家台灣料理豪華酒樓。紀念章完整呈現了蓬萊閣氣派的樓面。

三〇年代中期，蓬萊閣曾經易手。大約一九三六年，永樂町（今迪化街）的食料品店「五星商會」生意正好，老闆陳水田雄心勃勃，接手蓬萊閣。陳水田銳意改善，曾遍遊北京、天津、上海、南京、福州、廣東，汲取中國各地料理的特長。也到香港、西日本各城市，展開「料理行腳」，踏查知名餐廳。最後請來中國名廚杜子釗，此人曾為中華民國大總統孫文、開國元勳黃興掌廚，駐美大使顧維鈞也曾把他請到美國七年之久。

陳水田的經營手法也很靈活，為酬謝顧客，曾經一九三七年元旦起，每晚九點到十二點，不論消費金額高低，都派出美妓免費款待客人。 *

三〇年代，
蓬萊閣與江山樓齊名，
公認台北最具代表的兩家
台灣料理豪華酒樓。
↙↘
Original Size（原寸）
●↗ D（直徑）38mm

霞海城隍廟

かかいじょうこうびょう

灣小說家東方白是大稻埕之子，一九三八年生於下奎一丁目，今太原路的一個巷子。他爸爸則在迪化街的樂市場內開店修理鐘錶。東方白對永樂市場有許多精的回憶。他記得永樂市場旁的霞海城隍廟有好多出入，裡頭動靜盡收眼底。他最喜歡廟裡的千里眼和順耳，也喜歡各形各狀的十八羅漢，但不喜歡七爺八。矮壯、穿黑袍的八爺還好，七爺瘦臉、高個子、穿衫，還蓄長鬚、吐長舌，東方白說，「直像上吊的殭」，夜裡撞見，真會嚇死。

東方白不喜歡的七爺八爺，卻正是霞海城隍參拜紀念的主角，而且，不僅不可怕，還被刻畫得有幾分無辜愛。

七爺八爺在紀念章內分站兩側，合宜反映他們的身；城隍廟真正的主角是城隍爺，七爺八爺只是主角的將。

「城」意指城牆，「隍」指乾枯狀態的護城河，中國自各地都有城隍爺守護。明清兩代，城隍廟跟封官一，有高低階級，由官府決定誰是縣城隍、州城隍或都隍。但福建泉州府同安縣的移民，是自己揹了神像，台北落腳，私立了城隍廟，一開始還只是放在個人家奉拜而已。因家鄉的城隍廟位於同安「下店鄉」（又稱霞城」）的「臨海門」旁，所以擷取兩字，稱為「霞海城廟」。

年農曆五月十三日，
海城隍出巡遶境，
有白無常謝將軍、
無常范將軍於一旁護駕。

Original Size（原寸）
●↖ D（直徑）37mm

迪化街的霞海城隍廟和艋舺的龍山寺，都是泉州移民設立的廟宇，兩者本來鄰居，都住艋舺。到了一八五三年，龍山寺這邊的泉州晉江、惠安、南安三地的人，跑去兩、三百公尺外的老松國小那邊打死三十幾個同安人，還燒村子。同安人被迫逃往大稻埕。

沒想到同安人因禍得福，才不到十年，淡水開港，洋商遷往大稻埕，艋舺跳水式衰退，大稻埕的地位反而直線向上，成為新興的國際貿易熱區。到了日本時代，富裕的大稻埕人自然要大大熱鬧來酬謝曾經一起落難的霞海城隍了。

日本時代，北台灣最大的廟會活動就屬霞海城隍的出巡遶境了。每年農曆五月十三日，來大稻埕看熱鬧、吃拜拜的，擠得水泄不通，於是有了一句俗諺「五月十三人看人」。東方白就曾寫道，「一年之中，這天我家客人最多，三姑六婆，近親遠戚都到了」，許多鄉下人以有親友住大稻埕為榮。 *

就屬台北大稻埕的城隍祭典了，沿途兩旁擠滿人群，盛況空前。↘

城隍廟祭典禮拜の雜踏　圖は臺北大稻埕にある城隍廟祭典に當り、信者拜禮の雜踏である。信者は殆んど市井に附近一體の本島人で、各各心盡しの供物を携へ、禮拜紙を燒きつゝ神前に三拜九拜して冥福を祈り、やがて供物を持ち歸るを例とす。其雜踏ひきも切らず。

城隍爺祭の祭神　臺北城隍爺祭は單に城隍廟祭神に止まらず、各町各地から此の祭を飾り賑はす爲め、競ふて祭神を出すのである。圖は其の祭神の通過、轎は其象徵である。

城隍廟祭典の雜踏　城隍廟の祭典行列が太平町通過の景で、行列の長二三粁其通路は圖の如き雜踏の巷となるので、車馬の通行止を演ずる有樣である。

本島人祭、舟型の飾物　本島人祭典の一部で、龍頭鷁首の舟に乘り、詩歌管絃を弄ぶ古風をかたどれるものと見える。

祭典中の范謝將軍　背の高い謝將軍は、慈悲深き神樣を形どり、低い范將軍は酷然な司法官を型どつたもので、共に地獄の裁判官ともいふ格である。范將軍は罪を斷じて極刑を宣し、謝將軍は信仰に導きて慈悲を垂れる寬嚴兩面の判官の意であるといふ。

*

興文齋墨局

こうぶんさいぼくきょく

興文齋墨局位於台北市永樂町五丁目九十七番地，即今安西街右轉九巷內右手邊第一戶人家。五丁目為今天歸綏街、涼州街和迪化街交接的區域，丁目內靠淡水河那邊有辜顯榮與李春生家族的豪宅，但是名宅的後面、大街的深處，據說也藏了許多辛苦的下階層勞動者。

所謂墨局，指的是製作文房四寶之一的「墨」。台北市一九三六年的工商紀錄，製墨商只有興文齋一家。

興文齋的老闆盛雪俤來自福州，據中國現代的研究，一九二二年，盛雪俤曾來過台灣，又回福州，一九三四年再來。推測盛雪俤第一次來台可能去了台南，依《台灣製墨藝師陳嘉德》一書指出，台灣歷來不產墨，日治時期福州師傅到台南開了製墨所，著名的有錦華齋、榮華齋、青松閣和興文齋。盛雪俤可能第二次來台時，才進駐熱鬧的永樂町。

一九三五年博覽會期間，有一個「產業館」，盛雪俤的墨也是展覽品之一。所以紀念章上才會特別放閃「台博出品記念」幾個字。

目前，台灣碩果僅存一家傳統製墨的工場「大有製墨」，師傅陳嘉德獲得國家薪傳獎。追溯陳嘉德工藝的歷史，他十五歲時從嘉義鹿草到台北找工作，經人介紹，跟隨福州師傅林祥菊學做墨條。而林祥菊就是出身興文齋。

*

Original Size（原寸）

■↖ H（高さ）45mm×W（広さ）45mm

區域地圖
大稻埕
上奎府町。
日新公學校
建成小學校
大稻埕公會
大正街驛
御成市場
米國領事館
專賣局煙草工場
118

建成町
124
123
121
119
120
116

共田洋服店

こうようふくてん

個姓黃的洋服店老闆身在日本時代，很自然受到日本化影響。菱形商標模仿日本習慣，「KO」是黃的日語音。店名也取了有日本風味的「共田洋服店」。但再深一層看，「共田」合起來正是「黃」字，和風又好像只一種表層。

共田洋服所在的上奎府一丁目，位於台北火車站北，緊鄰鐵軌，範圍大約是重慶北路一段二十巷連到州街八十三巷這條斜斜小路的兩側。再北一點有下奎，如此不尋常的地名，上溯源由，其實是因為這塊域原屬台北平埔族的巴賽族人，閩南語音譯的社名為奎府聚」或「圭武卒」。

紀念章上方顯示共田洋服店的商品，看得出來跟一般純西裝裁縫店不同。「諸官衙會社御用達」意指共田負供給各機關公司服裝類的用品。最後一項「婦人オー」，則是女性外套大衣。 ＊

諸官衙會社御用達
各學校御制服制帽
婦人オーバ
KO
台北市上奎府町一丁目六番地
共田洋服店
黃廷棟

Original Size（原寸）
■↖ H（高さ）80mm×W（広さ）23mm

這枚紀念章的內容制式而普通，採用了總督府和博覽會在今天中華路架起的地標陸橋。但章形就可愛了，是一顆站立的雞蛋。

紀念章標明「雞卵販賣」，用現代中文白話說，就是賣雞蛋。但事實上，不能把方圓軒想像成現代市場內賣雞蛋的小販，老闆楊有禮可是一位雞蛋批發商。

方圓軒所在的上奎府町是戰前台北一個滿特別的區域，就位於台北火車站的正北方，專賣局的煙草工場和大日本製冰會社佔去町內的一大半面積。方圓軒位於一丁目七番地，約當今天重慶北路一段西側的市民大道口附近。 ＊

Original Size（原寸）
■↖ H（高さ）53mm×W（広さ）35mm

廣華洋服店

こうかようふくてん

本時代，洋服店通常意指做西裝的裁縫店。日治一開
，到台灣的日本人已經西化三十年，穿西服的人口眾
。反觀台灣人則是從零開始。因此，日治初期，西服
多是日本師傅開設。到了一〇年代，台灣男士開始剪
辮子，西服人口逐漸增加，報紙就會出現這樣的內
，「近時福州人之開設洋服店者到處皆是」。

中國福建的福州人對於日本時代台灣生活的意義非
尋常。他們帶著剪刀、菜刀和剃頭刀，從事裁縫、餐
和理髮行業，福州人深入各鄉村街庄開裁縫店的比例
高。

看洋服店店名，若有「華」字，大約就可推知店主是
岸中華民國來的，而多半當然就是福州人。在台北，
了這枚紀念章所示的「廣華洋服店」，另有「新華興」
大稻埕的「德華興」。新竹東門有「東華興」，台中錦
有「中華英」，斗六有「中華興」和「西華」，嘉義西門
有「萬華」，新營有「文華」，屏東有「日華」洋服店。
豆「德華」的店主王鴻佑，報紙指為「閩人」，應該就
閩東的福州人。

裁製西服的店，戰後多取洋味十足的店號，譬如早期
「佩德」，目前的「格蘭」、「吉姆士」、「約瑟」，對應了
文的「Peter」、「Grand」、「James」、「Joseph」，不
樣的時代各自釀出不同的特徵與風味。 ＊

Original Size（原寸）
■↖ H（高さ）52mm×W（広さ）50mm

山本印舖老闆為日本人山本貞吉，「典正堂」才是真正的店號，也是臺北市少數在火車站以北營業的日本人印章店。

紀念章上的「上奎府一」，亦即上奎府町一丁目，挨在台北火車站以北的鐵道旁。對日本人來說，從南邊的城內，沿著延平北路，一跨過東西向的鐵軌，就踏入大稻埕，也進入了一個異界。語言、服裝、商店，洋溢著台灣味，有另一套邏輯，跟城內的風情不盡相同。日本商人會挺進台灣人區的大稻埕，雖有但不多。不過，話說回來，山本典正堂位於上奎府町一丁目，還不是那麼深入大稻埕的心臟地帶。

從一九三五年的市街圖，可以發現上奎府一丁目內有「豊正堂」，就在上一家店廣華洋服店的隔壁，極可能是「典正堂」的筆誤。

典正堂紀念章正中間的黑色物體，是日本時代日本印章的模樣，廣告中經常可見。黑印章下方的日文「ゴム印」，意即橡皮圖章。

橡皮印章於明治十八年（一八八五）傳入日本，外國以橡皮壓到鑄板來做橡皮章，日本人另增一種作法，直接在橡皮板上雕刻。 ＊

Original Size（原寸）
●↑ D（直径）55mm
■↖ H（高さ）45mm×W（広さ）56mm

御成町市場

おなりちょうしじょう

本時代，台北有幾個公營的小賣市場，全是有建築
有規畫、管理的市場，而非擺攤式隨意滋長的傳統
場。西門町市場、永樂町市場規模較大，新富町和御
町市場較小，千歲町市場則是今天南門市場的前身。
天的東門市場、古亭市場，戰前也已存在，只是兩者
屬私營。

這枚紀念章顯示的御成町市場，全名「台北市公設御
町食料品小賣市場」，即今位於中山北路、長安西路
的中山市場前身。依據一九三六年版《台北市商工人
錄》，市場內共二十五家店，店主日、台籍各半，台
老闆還多一位。全無店號，僅有編號，紀念章才會只
「食料品店」。

整個市場並非每一家都賣食料品，也有賣鮮花、鮮
、天婦羅、蔬菜、菓子、陶瓷器的，賣玩具、雨傘的
有。登載「食料雜貨」的則有兩家，第五號與第十五
，都由日本商人經營。市場內所有店家共用一支電
，號碼正如紀念章上的一四一六。 ＊

Original Size（原寸）
■↖ H（高さ）28mm×W（広さ）41mm

台湾ホテル

たいわんほてる

（台灣旅館）

紀念章刻畫的漂亮建築叫「台灣ホテル」（台灣旅館），上方斗大的字，標明位於建成町；確切地址是建成町一丁目二十五番地，沿延平北路一段往北走，到長安西路右轉，沒幾步路即可看見。台灣旅館雖屬建成町，但也不脫繁榮太平町（延平北路）的範圍。

一九三二年，建成町一丁目二十番地有一家賣機械、五金的「協吉組」，老闆劉建炎斥資五萬圓鉅額，在隔壁興建台灣ホテル，據報載，採光等設備比照了東京、上海。台灣旅館之高級可謂是睥睨大稻埕的旅館界，收費也比其他台灣人開設的旅店都高。當他店最高房價落在一圓半、兩圓時，台灣ホテル仰頭抬起下巴，標價五圓。 *

Original Size（原寸）
●↖ D（直径）58mm

臺南旅館

たいなんりょかん

南旅館的橢圓形紀念章看起來像極現代給客人收據時的店章，連墨色都一模一樣。

臺南旅館位於建成町一丁目的五十六和五十七番地，延平北路一段右轉長安西路，還不到重慶北路，不遠的右手邊就可以看見臺南旅館。一九二九年，臺南旅慶祝十週年，特別增建為三層樓。

不知道是否受日本旅宿由女將主持的文化影響，日時代，新形式的旅館出現，也出現第一代的女性旅主人。臺南旅館的老闆就是女性，冠了夫姓，名叫李旦。

一九二七年，臺南旅館參與了一項台灣文人的盛會。治時期，吟寫古典漢詩的儒生墨客還很多，他們在地組織詩社。最有規模和活動力的就屬台北的瀛社。九二一年起，瀛社發動召開全島詩人聯吟大會，自此年一回，衍成慣例。日本總督也很重視這批地方上的紳，在台北開大會，必定請到官邸宴飲一番。

一九二七年三月二十日、二十一日，全島詩社大會又在台北舉行，這一次，為了妥善迎接各地詩友，瀛社別找了幾家旅館合作，凡我詩友入宿，可打七折或八不等。能讓旅館詩意盎然，何樂不為 !? 臺南旅館就其中願意打八折的一家。 *

Original Size（原寸）
■↖ H（高さ）28mm×W（広さ）42mm

大東ホテル

だいとうほてる

（大東旅館）

日本時代，台北主要的城內、大稻埕和萬華三個區域，經過規畫，道路多呈棋盤狀，多數都是「十字路口」，例外不多。地圖上的延平北路和長安西路口，就多出一條不乖的線，變出一條天水路。

天水路和長安西路夾成的錐狀，那裡有一家叫「大東」的旅館，有三十二間房，價位稍低，但沒有等級分，只有一種入宿費標準。三枚紀念章，除了一枚店章尚屬清楚，其他兩章的圖案和文字粗獷，無法蓋出鮮亮的色彩，彷彿謎題，有摸不清底細的感覺。仔細看，都有日文店名「大東ホテル」，還有「台博」兩字，有兩架飛機，樓房則似乎是總督府。

日本時代，大東旅館的地址為建成町一丁目九十二番地，電話九二九，三〇年代老闆掛名邱琳二。創立日期無從得知，但依一九二八年的一則小廣告，可知台中火車站前有一家「廣東館」，大東旅館為其支店，大東之名顯然襲自廣東。 *

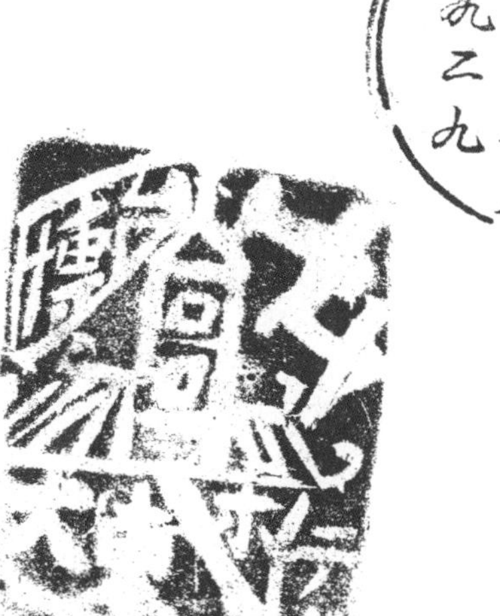

↙
大東旅館位於
現在的天水路、長安西路口。
↙
總督府為今總統府，地位與造型特殊，
不少商家採用其圖案為紀念章的元素。

Original Size（原寸）
●↗ D（直径）37mm
■↖ H（高さ）52mm×W（広さ）40mm
■↖ H（高さ）52mm×W（広さ）40mm

大東館

協志洋服店

きょうしょうふくてん

協志洋服店由楊獻庚經營，位於建成町一丁目一零一番地，與大東館僅差幾個番地，相距應該不遠。

洋服店就是西裝店，專門剪裁男士西服，也難怪協志的紀念章要放上打扮時髦的紳士。回到一九三五年的時空，這位男士的西裝、頭戴的中折帽、嘴刁的菸斗和手握的拐杖都足以展露時髦。只不過在日本時代倒很少人學著西方紳士抽菸斗。

拿拐杖就不算少見了。在太平町一丁目開律師事務所的陳逸松，有一天日本朋友去找他，他就「穿上洋服，頭戴巴拿馬帽，手持一根手杖」，帶日本人去以牛舌料理聞名的「波麗路」餐廳。

另外，一九三五年的台灣博覽會也有幾位穿洋服、持枴杖的貴賓，都是有頭有臉的大官。永井柳太郎是前拓務大臣，演講一流，和很多台灣士紳有交誼。出淵勝次一九二八年出任日本駐美大使，在美六年，來台北參觀博覽會時，卸任不久。熊本市長山隈康這一年六十六歲，前一年剛當選市長，也拿了手杖，站在台博滿洲館前拍照，派頭硬是不同。

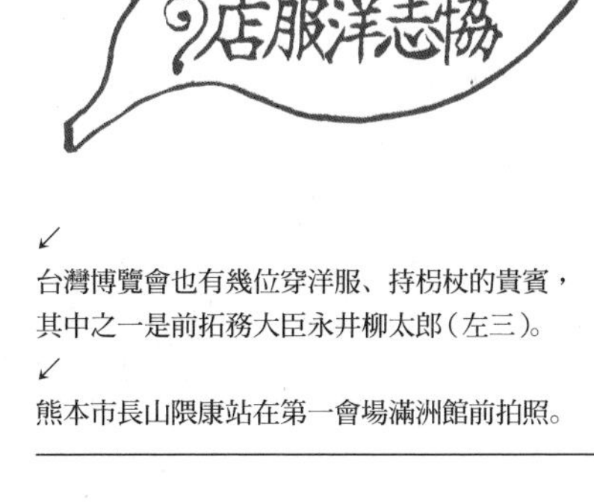

↙
台灣博覽會也有幾位穿洋服、持枴杖的貴賓，
其中之一是前拓務大臣永井柳太郎（左三）。
↙
熊本市長山隈康站在第一會場滿洲館前拍照。

Original Size（原寸）
■↑ H（高さ）95mm×W（広さ）62mm
■↖ H（高さ）58mm×W（広さ）50mm

嘉義閣ホテル
かぎかくほてる
（嘉義閣旅館）

紀念章飄著的旗子寫著「嘉義閣ホテル」，ホテル即日文的「旅館」。章內景物的安排，忠實反映彼此地理位置的關係。從中央遠方飄著兩支小旗的城內會場，經過右側的古蹟北門，沿著延平北路，轉入東北方向斜斜的天水路，沿著右手邊走，就會抵達三層樓高的嘉義閣旅館。

嘉義閣位於建成町一丁目一〇七和一〇八兩個番地，規模不小，有二十九間房。名錄中，大稻埕有十三家非日本老闆的大小旅館，其中有九間由女性當家。

依一九三〇年的《新民報》，陳成與周氏甘兩人聯名刊登廣告指出，他們曾在嘉義經營「萬花閣」，現在返回台北重新開業，命名為「嘉義閣」。這正解釋了為什麼在台北開一個以「嘉義」為名的旅館。

不過，到了一九三六年，《臺北市商工人名錄》記載，嘉義閣主人已改成「林氏桂英」。 *

Original Size（原寸）
●↖ D（直径）45mm

蓬萊ホテル

ほうらいほてる

（蓬萊旅館）

蓬萊」一詞很夢幻，一直是傳聞中東方海上的仙島。台
因此成為蓬萊仙島的可能人選之一。

日本時代以後，台灣有許多東西以蓬萊為名，而且似
在二〇年代特別受到喜愛。一九二二年，大稻埕女子
學校改稱蓬萊公學校。一九二四年，大阪商船的新客
取名「蓬萊丸」，加入基隆和神戶之間的海上航路。日
稻作專家磯永吉培育出新品種，一九二六年，由台灣
督伊澤喜多男命名為「蓬萊米」。一九二七年，大稻埕
牌酒樓東薈芳倒閉，經重整再開，改名「蓬萊閣」。其
還有靜修女中旁知名的「蓬萊產婦人科醫院」、「蓬萊
工所」、「蓬萊印刷」等等。

台北市的「蓬萊旅館」就像遠足落了隊的小學生，一
三五年才跟上蓬萊隊的行列。八月二日晚上七點，邀
官員名人辦了開幕酒宴。

蓬萊旅館位於建成町一丁目二二九番地，比對一九三
年的地圖，離圓環不遠，在一個十字路口，面向天水
，旁邊緊鄰華亭街。　＊

於建成町一丁目的蓬萊旅館，離圓環不遠。

文化新式
交通利便
團體歡迎
親切叮嚀

蓬萊ホテル

代表者　黃　發

臺北市建成町一丁目二二九番地

電話三五九九番

Original Size（原寸）
■↗ H（高さ）27mm×W（広さ）42mm

保安宮

ほうあんぐう

到了台北大龍峒的保安宮，紀念章的形式突然回到中式傳統紅色朱文印章，出其不意，別有趣味。

根據宮網指出，保安宮創建時間說法不一，從十八世紀到十九世紀都有。不過，有一說最貼近這一枚宮章。一七五六年，大龍峒民眾去福建同安縣白礁鄉慈濟宮迎回保生大神神像兩尊，一大一小，大尊一船，小尊與中壇元帥、黑虎將軍搭另一船，結果，後者反而一帆風順，從淡水上岸，前者則從台南登島。

保生大帝生於同安白礁鄉，醫療活人無數。相傳有一隻老虎吃了一位婦女，喉嚨反被婦人髮簪刺住，痛苦不堪，向保生大帝求救。保生大帝見他作惡多端，該受天譴。但老虎低頭懺悔，不肯離去，保生大帝還是出手醫治，之後，老虎隨身保護，便成宮章左側的黑虎將軍。保安宮章右側的中壇元帥則是一般熟知的「三太子」或「李羅車」哪吒，總是腳踩風火輪、手握乾坤圈。

日本時代，每年農曆七月十日到十二日，保安宮例行中元祭典，十一日晚上放河燈，能見度最高，報紙常要報導一下。一九二九年的新聞就說，晚上七點半，保安宮「大放河燈」，陣頭、音樂團、水燈、花燈、龍燈，共一百多陣，齊集宮前，領走一萬枝火把。時間一到，先從今天哈密街所在的保安宮出發往西，到了「牛磨車街」（迪化街二段），再進入大稻埕；繞行各街的隊伍，「變成火龍一條」，沿途觀客擁擠，「其熱鬧倍于常年」。 *

Original Size（原寸）

■↖ H（高さ）53mm×W（広さ）53mm

孔子廟

こうしびょう

拜孔廟紀念章有兩枚，一圓一方，文字都一樣。「孔子」三字特別陰刻，其他陽刻。日語稱陰刻為「白文」，刻為「朱文」，似乎更容易理解陰陽刻法之間的差異。

日本時代，宜蘭、彰化、新竹也有孔廟，但以台南最盛名，一九二三年，日本皇太子訪台時，特別去看台祭孔，並登上大成殿，召見士紳許廷光嘉許一番。台的孔廟本來在清代就有，舊稱「文廟」，舊址即今台北一女子中學。日本統治之初拆毀，孔廟一些舊牌存放國語學校（今台北市立大學），每年祭孔雖然未斷，點卻換來換去，借過龍山寺、保安宮、蓬萊公學校地。

台北日籍和台籍士紳一起組織「崇聖會」，一〇年代就到總督官邸請願，希望「文廟再興」。一九二〇年代中，台北商紳開始具體行動，捐地募款，請來福建泉州安的老師傅王益順擔任建築技師，分階段施工，工期達十幾年。一九二八年，台北祭孔就回到剛竣工的大殿舉行，還是由台北州知事（州長）高橋親吉主祭。

孔子廟帶著濃厚的中國概念，一九三七年中日開戰，台日本官方開始畫線不碰祭孔。等到一九四〇年三月，汪精衛政府成立，稱中華民國，也舉青天白日滿地旗，日本內閣又提出「大東亞共榮圈」，台北方面便順政治氣氛變換，在這一年恢復大龍峒孔子廟的祭典。新聞看，甚至到了一九四三年，還由一位臺北帝大今台灣大學）日籍教授今村完道擔綱舉行祭孔。　＊

Original Size（原寸）
●↗ D（直径）20mm
■↖ H（高さ）35mm×W（広さ）35mm

↑
日本時代
已建成的台北孔子廟。

↖
台北孔子廟「萬仞宮牆」後
有座半月形水池「泮池」，
以及三孔的石拱橋「泮橋」。

円山駅

まるやまえき

（圓山火車站）

看桃紅色章裡的圓山風情。遠方有兩個X的圖案，代神社的本殿，與近處的大鳥居，構成臺灣神社的意。今天的圓山飯店，正是日本時代的臺灣神社所在。

從台北市區要進入臺灣神社，會遇見基隆河，河上梁稱明治橋。初期為鐵橋，彷彿縮小版的西螺大橋。九三三年，在一旁另建鋼筋混凝土的空腹拱橋（open andrel arch bridge）取而代之。桃紅色章「円山」兩字方的弧線，即指拱橋。旁邊橋上典雅的燈柱，則是新治橋的另一大特徵。

藍色圓山章的中心也是橋，但未著墨兩代明治橋的特。原因應該出在這款紀念章誕生於一九三二年，新明橋還在施工，掩門化妝中。

藍色章實為「円山駅」（圓山火車站）的旅遊紀念章。的左邊有臺灣神社的鳥居，右邊如鑽石的小小錐體是物園。「円山駅」三字上的深色物，不是運動用的跳，指的是基隆河上的帆影。

日本時代，圓山站除了連結士林、北投與台北市區，邊的臺灣神社、動物園和運動場（戰後的中山足球場）時無刻不吸引人潮。過新年要到神社參拜祈福，運動有棒球比賽，全台小學生到台北見學旅行必到動物，都要從圓山站進出。 ＊

Original Size（原寸）
●↗ D（直径）36mm
■↖ H（高さ）40mm×W（広さ）45mm

明治橋初期為鐵橋，
一九三三年在旁邊另建鋼筋混凝土拱橋，
鐵橋隨即拆除。
↑

↖
新建的明治橋兩側欄杆以花崗石砌成，
典雅的燈柱是另一大特徵。

←
圓山動物園內還有兒童遊園地，
親子到此，都要從圓山站進出。

円山動物園

まるやまどうぶつえん

（圓山動物園）

十一月二十三日星期六，博覽會已進入尾聲，趁著最後一個週末，楊雲源跑了圓山地區。雖然此章沒有明示單位，但是圓山有圓山章，圓山火車站也有自己的章，因此推論獅子盤據的圖章應該出自圓山動物園。

圓山動物園於一九一四年開園，本來是日本馬戲團主「片山竹五郎」的私人事業，兩年後，轉為公有。到了一九三五年，仍然生氣蓬勃。四月，鳳山丸後面的甲板上裝了大籠子，載來兩隻老虎、兩隻狒狒和一隻斑馬。一頭斑馬五千圓，剛好等於其他四隻動物的總價，珍貴無比。本來要買進一對斑馬的，但另一隻在新加坡下船時，弄斷了頭，嗚呼歸天，無緣來台。

圓山動物園把宣傳主力放在兩隻老虎，推出徵求命名活動。轟轟烈烈在五月五日「子供日」（日本兒童節）公布結果，這對虎夫婦，丈夫叫猛雄，太太叫破魔子。沒想到隔年春天，猛雄不幸病逝，而且，還嚇了大家一跳，經過解剖，才發現他原來是一隻母老虎。

就跟六月從廈門送進的小山豬一樣，報紙說他黃黑色條紋相間，非常珍奇。但事實上，小豬長大後，就會全變黑色了。但這一切在博覽會期間仍未發生，仍是一對健康恩愛的虎夫婦，仍是可愛多彩的小山豬。結果，換算入園人數，博覽會期間，平均每天來客四千五百多人，比平常時節的一天一百六十五人，足足多二十七、八倍。 *

Original Size（原寸）
●↖ D（直径）45mm

↑
每年十一月，
台北動物園舉行動物祭，
祭拜並感謝亡去的動物夥伴。
↖
大象是圓山動物園的「人氣者」，
大人小孩都喜歡。

臺灣神社

たいわんじんじゃ

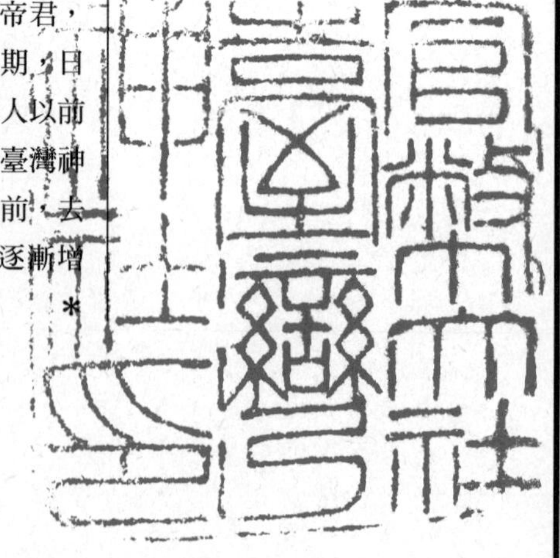

Original Size（原寸）

●↗ D（直径）35mm

■↑ H（高さ）62mm×W（広さ）62mm

臺灣神社的參拜紀念章形式特殊，其實就是一枚日本天皇家紋，算一算，正是十六瓣的菊徽。

八、九百年前的鎌倉時代，後鳥羽上皇愛菊，把菊紋置入自己許多物件上，刻在刀子的還專稱為「菊御作」。後來沿襲成定例，天皇家有三個家紋，除了日月紋、桐紋，另一個就是菊紋。明治時代，禁止皇族以外的人使用菊紋。到今天，皇室座車鑲有金黃菊紋，日本國民護照封面正中間也放菊紋，菊紋儼然國徽的姿態與地位了。

另一枚正方形朱印，原件邊長六・二公分，刻著「官幣大社臺灣神社印」。日本時代，全日本的神社有不同的身分背景，大分為官社和諸社，官社由國家供給「幣帛」。官社再分官幣與國幣兩類，兩類下面再各分大、中、小社。臺灣神社屬官幣大社，與東京的明治神宮、京都的平安神宮、島根的出雲大社幾個知名神社，屬於同一位階等級。

臺灣神社自然受到在台日本人的依賴與崇敬，凡事要拜。一九二一年，東宮太子從歐洲旅遊歸來，人一到東京，台灣一群官員馬上帶著學生就去臺灣神社舉行「奉告祭」，報告並感謝神明。一九三四年，台電的日月潭工程無事竣工，社長也是率隊到臺灣神社奉告表謝。

台灣人這一邊，拜自己的媽祖、城隍爺、關帝君，本來是不跑臺灣神社的，不過，一九一〇年代後期，日本統治已超過二十年，情況微妙轉變。一些楊梅人以前舊曆年都到北港媽祖廟進香，一九一八年，改到臺灣神社參拜。一九一九年初的報紙也說，兩、三年之前，去臺灣神社的只有日本人，「一二年來」，台灣人逐漸增加了。＊

—

沿著明治橋朝臺灣神社走去，

會看到銅牛、鳥居、宮燈、拜殿與本殿等。

／

在台日本人的產官學商各界，常結成團體到臺灣神社告拜祈求。

圖為專賣局台北支局小賣人團體到神社前合照，

裏面中央的圖案由「酒煙塩」三個字構成。

／

學生整群整群被老師帶到臺灣神社參拜。

芝山巖

しざんがん

日本時代，芝山巖與教育事業概念相連，被稱為「台灣教育發祥地」。也因一場老師慘遭殘殺的悲劇，芝山巖更成為代表教育者崇高志業的聖域。

一八九五年六月，日本開始統治台灣，千頭萬緒，各地還有反抗行動，總督府對這個語言不相通的新領地，馬上先派老師來教授日文。第一個教室就選在芝山的惠濟宮。半年後，新年元旦，六位老師參加完城內的慶祝儀式，返回途中，就被日本人口中的「土匪」殺害了。

整整半年後，七月一日，芝山巖樹立起一座石碑，由事件當時的總理大臣伊藤博文親筆寫下「學務官僚遭難之碑」。芝山巖成了教育人員犧牲奉獻的「忠烈祠」，有功的教育人員會入祀芝山巖。日本時代已有不少台籍老師入祀。一九二〇年代中期，日本全國中學校長同來參拜，也曾立了紀念碑。

二〇年代末，芝山巖建立神社。每年二月一日會舉行例祭，許多學生齊集來鞠躬敬禮。紀念章裡，山的背後若隱若現的鳥居、拜殿，就是芝山巖神社。 *

Original Size（原寸）
●↗ D（直徑）37mm

↘
一八九五年，日本開始統治台灣，
整修芝山巖的惠濟宮後殿做為學務部。

一八九六年元旦，六位日籍教師在芝山巖附近遭到殺害。
日本各師範學校校長前往芝山巖，在六氏先生遭難碑前合影參拜。
每年二月一日會舉行例祭，許多學生齊集來鞠躬敬禮。

劍潭古寺

けんたんこじ

Original Size（原寸）
●↗ D（直径）48mm

起劍潭古寺，必要先一聲長嘆。

劍潭寺是台灣少見的古寺，三百多年前，一位叫華
的僧侶已結茅其上，拜奉觀世音菩薩了。搭配鄉野傳
，鄭成功擲劍在寺前的基隆河，夜間潭影光搖，清代
人墨客力捧為台北淡水地區的八景之一。

進入日本時代，劍潭美景仍在。日本也於劍潭寺旁大
臺灣神社，神社壯觀，劍潭寺反倒相形灰舊，一九一
年代，官方「示意」住持莊信修籌建新寺。於是，莊
修向政府請准可募款後，轉向台北富豪辜顯榮、王慶
等多人募得巨款，隨即動工。一九二三年大功告成，
盡華麗，被讚嘆是台灣的西湖。一到舊曆大年初一，
北人出外拜神求福，就以龍山寺和劍潭寺香火最盛。

但是，進入三〇年代，劍潭寺厄運相連。先是一九三三年，三十歲的年輕住持王四川被刑警拘走，他種種惡行被揭發。偽造信徒蓋章簽名，向官方登報為新住持；一聽說誰有醜聞，就跑去那人家裡，恐嚇說官府已經知情、準備來搜，他可以居中幫忙施賄云云，詐索活動費；假冒富豪簽名和大筆金額在勸募簿上，讓人受騙掏腰包；私吞部分修建工程款。最後王四川被法官判刑三年，報紙也狠踢一腳，痛罵是「劍潭寺野奸僧」。

一九三七年中日開打，局勢轉趨軍國化，日本神道更被強調，總督府準備擴建臺灣神社為護國神社，劍潭寺就被解體拆遷大直了。不再臨江，潭影不再，香客遠去，今天的劍潭古寺只能靜靜陪伴一山坡的寂寞了。 *

↙
劍潭古寺位在臺灣神社附近，臨基隆河，主祀觀世音菩薩。

士林駅

しりんえき

（士林火車站）

九三二年四月，鐵道部開始在台灣各車站配置紀念，宣傳車站附近的旅遊名勝，這一枚「士林駅」（士林車站）紀念章就屬此波二十七個車站之一。因此不像在高鐵站章是以站體建築為主圖，士林駅章不展示鐵或車站本身，完全讓位給紗帽山。

紗帽山裡，躲著許多溫泉旅館，構築日本時代草山泉的榮景。而要一探其中的悠哉，非要由士林轉進可。

台北附近的群山，論外形，觀音山如臥觀音慈顏，莊嚴之美；紗帽山怎麼看都是兩個緊緊相依的圓峰，人說像官吏戴的烏紗帽，有些嚴肅了。其實紗帽山也南部菱角型的旗魚脆丸，也像豐滿的上唇，水蜜桃的個角度也像，時下流行的男女中折帽更像，圓滑的曲，怎麼看都可親可愛。

紀念章下方的基隆河、圓山、圓山上的臺灣神社鳥，僅是一種配角、一種鋪陳，要襯托出更高深處的紗山。一片雲如棉花，輕輕貼近山頂，紗帽山就在雲中，與俗世兩不相涉。　＊

Original Size（原寸）
●↖ D（直径）35mm

草山循環バス

くさやまじゅんかんばす

（草山循環巴士）

台博期間，搭車也有紀念章。楊雲源搭了「草山循環バス」（陽明山循環巴士）前往北投和草山的溫泉區，蓋了兩地的乘車紀念章。

章上的英文「TOMOE」是經營者「巴自動車商會」店名「巴」的英譯，念音近似「透摩A」。巴自動車商會位於今天台北市中華路和漢口街口，店前有長長一排汽車，面向中華路，隨時等候乘客的召喚一般。

巴自動車商會的老闆館野弘六最初經營日本料亭「竹之家」，一九二〇年代初期，在草山蓋了「巴旅館」，也讓自家汽車常跑草山。那時就有台灣籍蔡姓司機在巴商會開車。巴自動車曾經在夏天舉辦自動車納涼會，用自家的汽車，把客人載上涼爽的陽明山，入住自家旅館泡溫泉。

所謂「循環巴士」則是一九三〇年才出現的說法。這一年冬天，草山公共浴場落成，巴商會看準浴客增加，增購車輛，設計出在台北、士林、北投和草山之間運行的公車路線。雖稱「草山循環巴士」，途中會經過北投，從台北到北投火車站只需三十分鐘。三〇年代，草山巴士車體顏色黃綠相間，平日從台北發九班，從草山發八班，大約相隔一小時，到了假日會再加開。

台博前，三月初，巴自動車有個謝恩抽獎，在報紙上公布了得獎者名單，一到五等獎，每一獎各一人，五人中，有兩位是台灣人。獲第六獎的十個人，也有五位台籍，可以看到台灣人和這家汽車公司有不少互動關係。 ＊

Original Size（原寸）
●↗ D（直徑）52mm
●↖ D（直徑）53mm

↗
一九三〇年，草山公共浴場落成，
巴自動車商會瞄準浴客增加，
經營起循環巴士載客。

北投
ほくとう

雲源採得的北投相關紀念章有三枚，第一枚出自名家手。

一九三一年是日本旅行紀念章的爆發年。先是關東的遞信局在四月一日製作紀念章，引發流行。八月日，遞信省更公布了好幾處名所的「旅行記念スタン」，入選地有鎌倉、寶塚、仙台的松島、廣島的嚴島、手的平泉等。台灣這邊的遞信部受到感染，八月初聘台北高校的美術老師鹽月桃甫執筆，以前兩年全民票出來的八景十二勝為基礎，鹽月再實地踏查尋找靈。一九三二年元旦起，台灣也有名勝郵戳了。

鹽月筆下的北投章，彷彿用細軟的毛筆，流利的三、筆，即勾勒出大屯山，右方再佐以北投公共浴場。據自述的設計概念，群山與冒著溫泉的山谷構成的曲線如從處女的胸部流向肚腹的柔軟線條。

Original Size（原寸）
●↗ D（直径）35mm
●↗ D（直径）36mm
●↗ D（直径）45mm

相形之下，Tiffany 藍的新北投章就顯得直接單調了。直接畫上明明白白的女浴客，線條無輕重，如鋼筆所畫，少了幾分風情。

新北投章雖未註明是車站戳章，但《旅と運輸》雜誌曾刊出「臺鐵スタンプ集」，新北投車站的紀念章就是這一枚。

第三章「北投駅」則讓人如丈二金剛，摸不著頭緒。下方如靶心的圖案，是外星人嗎？那些點點是山壁嗎？所幸這一枚是一九三二年鐵道部發表的車站附近名勝紀念章，根據當時繪製的說明，北投駅章描述一個充滿情調的意境；下雨天，溫泉煙霧裊裊，某小姐撐著「蛇の目傘」（日本的傳統傘，傘面同心圓如蛇的眼睛），正快步往湯宿去。讀完說明，是否不禁詠嘆，「這就是北投溫泉鄉的詩情啊」？ *

↘
隱身於北投山林中的溫泉旅館周圍煙霧裊裊。

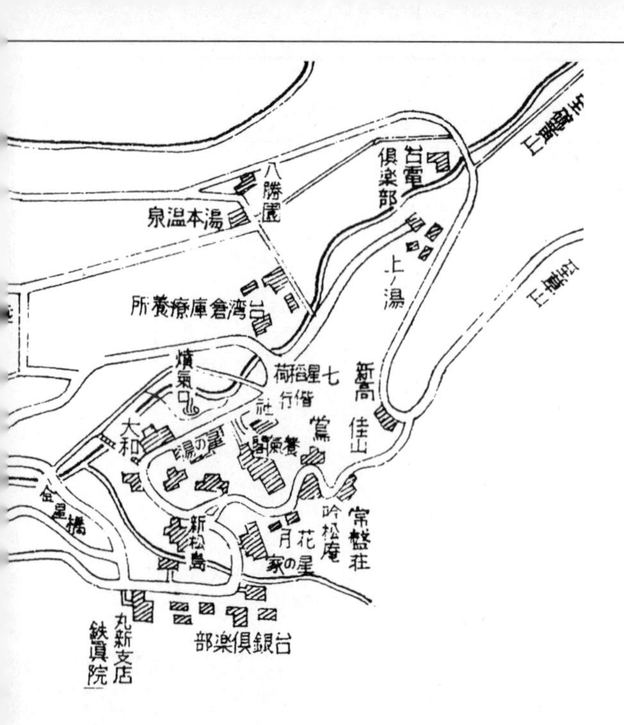

為一九三八年版的北投溫泉地圖。
雲源造訪了靠近新北投站的
樂園、新薈芳、沂水園，
到地圖右方的花月、吟松庵等處。

北投車站於一九一六年設立，
時只有三個天窗，後來於一九三七年擴建。

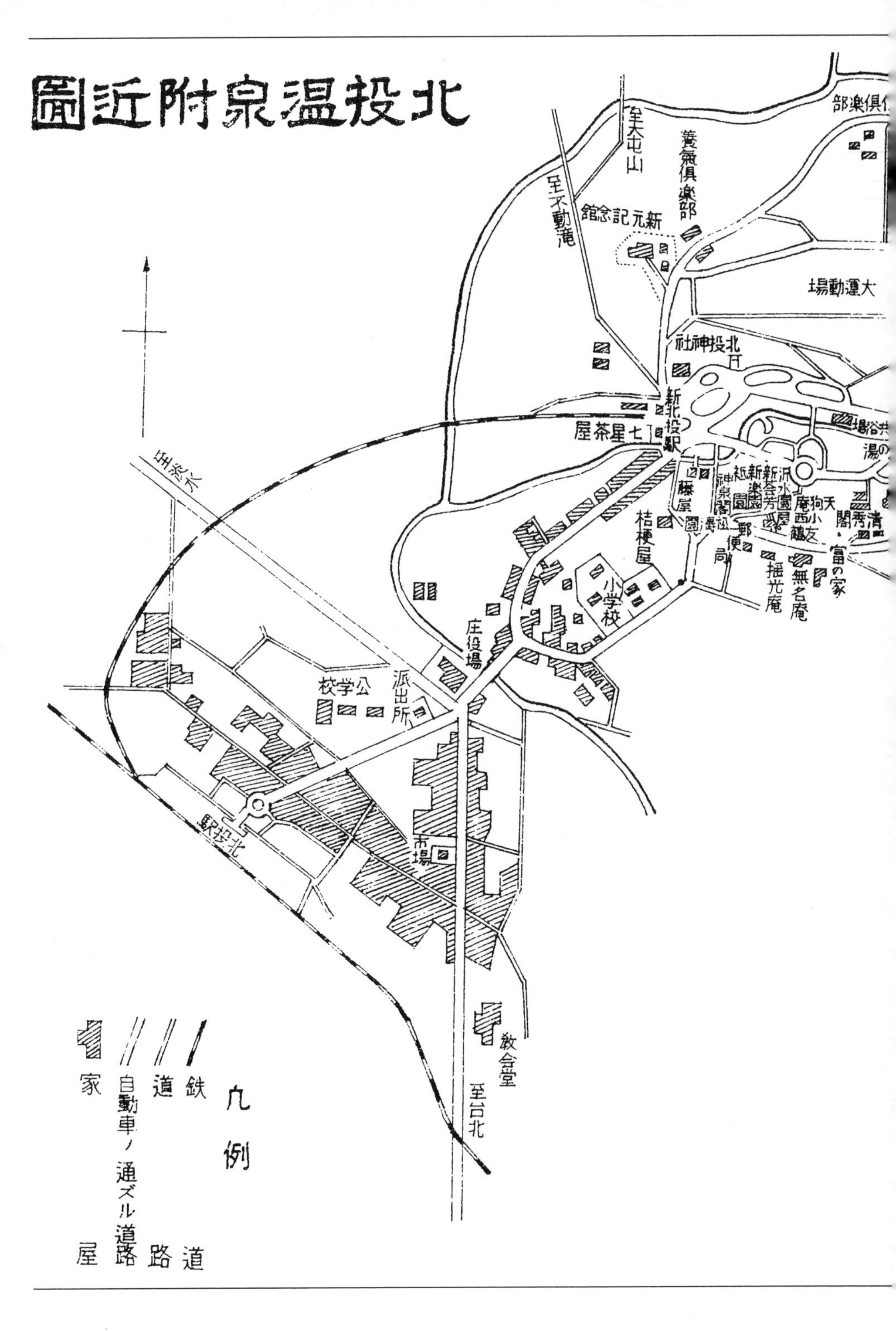

北投温泉附近圖
至大屯山
養氣倶楽部
至不動滝
新元記念館
大運動場
北投神社
新北投駅
七星茶屋
共浴場
至淡水
藤屋
桔梗屋
新楽園
天狗庵
清秀閣
郵便局
富の家
揺光庵
無名庵
小学校
庄役場
公学校
派出所
市場
北投駅
教会堂
至台北
凡例
鉄道
道路
自動車ノ通ズル道路
家屋

（鳥居濟生堂發行）

VIEW OF THE FAMOUS PLACE, HOT-SPRING HOKUTO

臺灣名勝…（十二勝の一）北投温泉

新北投驛 北投驛より汽車は三十分バスは二十分にして各二三十分毎に遊覽客を送迎しつゝあり

新樂園

しんらくえん

年聚賭，農閒賭博，是早期台灣人的生活文化之一，入日本時代後，賭博違法，警察捉到的不只是普通平，有頭有臉的大商人也會栽在賭博上。

一九三八年，報紙報導說，高雄鹽埕町幾個「知名商」已有打麻將賭博的前科，有一天跑到台北看賽馬，宿北投台灣人經營的新樂園旅館，又拿出麻將、天九賭了起來。當天看起來平安無事度過，退宿後也安返雄。

過沒幾天，台北「北警察署」探知新樂園聚賭一事，村警官連同兩位刑警，一位高姓台籍，一位日籍姓中，竟然大費周章，三人一起跑到高雄，還請當地警察援，傳喚九位商人到警局，隔天並搭鐵路快車帶回台。看來日本時代沒什麼「小賭」這種話能說，賭博就是博，代誌都很大條。 ＊

Original Size（原寸）
●↖ D（直徑）30mm

新薈芳
しんかいほう

上個世紀一〇年代到二〇年代，數台北台灣料理，「東薈芳」是一個響叮噹的大餐館，一九二三年，日本皇太子訪台，總督府安排一餐精緻台灣菜，就由東薈芳和江山樓的廚師聯手合作。

東薈芳曾因股東不合而倒閉，但是全台已有他的徒子徒孫。系譜看來，嘉義的東薈芳是直系，台南的西薈芳和北投的東薈芳是旁系。其中，北投的東薈芳最是生龍活虎。

一九二三年，台北中崙人李築碑接手北投東薈芳後，改名為新薈芳，手腕靈活，持續擴張。譬如曾經推出促銷活動，和大稻埕的「楊寶」和「麗生」、基隆的「長安」和「如生」四家寫真館合作，凡交易滿五圓，就送一張照相券。一九三二年，活動再推一次，這回免費照相就在北投的公園內拍攝，而消費滿十圓，就送免費住宿券一張。

為了迎接一九三五年台灣博覽會可預見的人潮，李築碑再投資，在草山（陽明山）那邊設支店「草山ホテル」。
*

Original Size（原寸）
●↖ D（直径）36mm

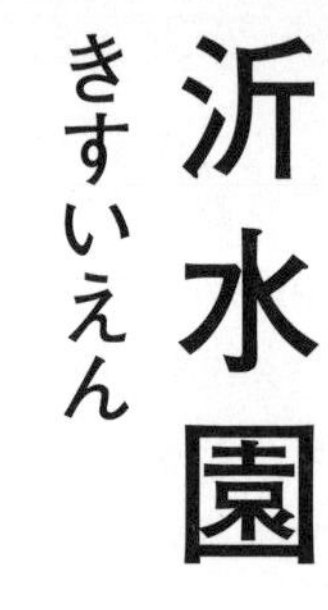

沂水園

きすいえん

投沂水園的紅色紀念章，噴水池圖案，反映沂水園的髦，另一章的斗笠、山棕簑衣、竹筏，代表了台灣文化，事實上，沂水園正是台灣人陳成地父子相續營。

不少台灣人到北投，偏愛沂水園。在台北的龜甲萬油販賣株式會社的台籍支配人（總經理）黃鐵就喜歡沂水園享受休閒。據黃鐵的子女說，戰前每個月總要、兩次，他們全家會搭火車去新北投，到沂水園「洗水、吃料理」，那裡的紅燒魚、水雞（青蛙）炒竹筍「真吃噢！」

一九三四年九月四日晚上，當時台灣政治運動的領袖獻堂也入宿了沂水園。依這位霧峰林家豪族的日記所，八月底開始，他就開始請醫生到家裡密集打針，治腰痛。他連續十幾年，年年去東京帝國議會請願，表台灣人期待擁有民選議會的運動，九月二日這一天，與眾人聚會決定劃下句點。

隔一天，九月三日，林家某子弟「神經病大發」，到獻堂的家打破六個花瓶、一個電扇和一把小提琴。四，林獻堂到台北面見總督，告知不再搞請願運動。當就到沂水園。醒來泡溫泉，「或讀書或假寐」，再去公散步。北投溫泉旅館給人的不外就是這樣的暫時隔，洗去俗世的種種煙塵。 ＊

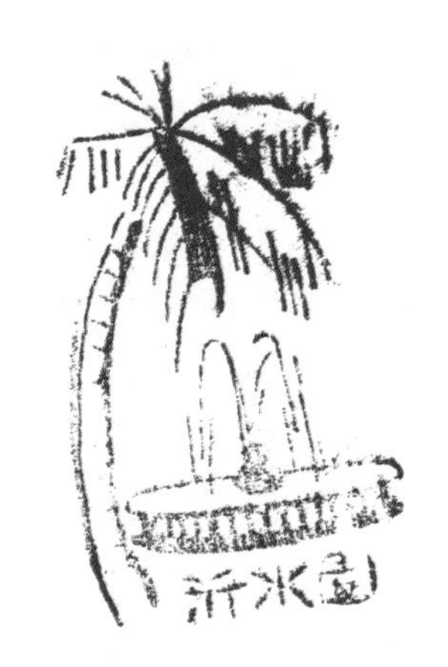

Original Size（原寸）
■↗ H（高さ）50mm×W（広さ）30mm
■↖ H（高さ）50mm×W（広さ）85mm

天狗庵

てんぐあん

這枚紀念章布滿草書，寫的是「台灣新北投溫泉旅館天狗庵電二八番」。楊雲源蓋天狗庵章在筆記本頁面的下方，空間不足，於是台灣島最南端跑到頁外了。雖然有瑕，也是一趣。

早先的台灣原住民不知溫泉妙用，視為毒水，沒有任何開發。直到清末，德國商人發現北投溫泉，隔沒兩年，日本統治台灣，一位叫「平田源吾」的日本人，為了養病而去泡溫泉，並開設了第一家湯宿「天狗庵」，北投溫泉區開始有了雛形。平田的兒子後來繼承家業，一直到日治結束，天狗庵一直是北投溫泉的老招牌。

天狗庵之名，中文字看起來頗有趣味。「天狗」（てんぐ，念音近似「天古」），其實是日本神話中的妖怪，有著大紅的長鼻子和大紅的臉，還有翅膀，可以飛天，有著神奇的魔力。

目前，北投溫泉旅館林立，只是多半已不復日本時代的木造平房藏身綠山的模樣，天狗庵原建物也幾乎無存，只剩石階。幾年前，石川縣的加賀屋和台灣的建設公司合作，在天狗庵原址建起現代的大樓，雖然外觀已全然不同，但能在台灣第一家溫泉旅館的土地上，浴客依然可以拾階而上，天狗庵大概稍感安慰吧 !? ＊

↘
台灣第一家溫泉旅館天狗庵的一隅。

Original Size（原寸）
■↑ H（高さ）75mm×W（広さ）40mm

北投公共浴場

ほくとうこうきょうよくじょう

北投公共浴場章，簡單到不像趕博覽會熱鬧而忙出來的設計。有點身段，被蓋到懶得翻新一般，或許正因北投公共浴場實在夠老資格。

北投公共浴場就是今天的北投溫泉博物館，建築模樣完整保存。一九一三年，如此的兩層洋樓可說得是時髦代表。而且開幕之初，二十二坪大的食堂還請來最高級的西洋旅館「台灣鐵道旅館」承辦，有咖啡、紅茶，也有洋食、洋酒、冰淇淋。

所謂公共浴場，就是官營的付費式公共澡堂。當初台北官方以公共衛生預算來蓋北投浴場，把浴場當作提升衛生的一環。

古早台灣人普遍沒有洗澡的觀念，台北社子島出身的郭維租醫師生於一九二二年，他曾回憶說，洗澡要燒熱水，「普通人家一星期洗一次澡就很不錯了」。他的父母都是公學校教員，注重兒女衛生，他們家「大約兩三天洗一次澡」。一九四〇年出版的《本校學校衛生の實際》，台南市港公學校（今協進國小）調查三年級以上近一千八百位學生，有快三成的人一個月都沒洗半次澡。

到一九二四年，台灣全島公共浴場已達二十六處，有的使用溫泉，有的只是冷水加熱，台北五處都屬前者，後者則有新竹、台中、台南關廟、新營、新化、新港和雲林斗六、北港等地。高屏方面有九個，除了四重溪浴場是溫泉，其他都用一般熱水而已。 ＊

Original Size（原寸）
●↗ D（直径）49mm

▲
北投公共浴場建於一九一三年，
兩層洋樓的建築是當時規模最大、最華麗的公共澡堂。

北投公共浴場設備完善，一樓為磚造浴池。↗
彰化公共浴場使用的溫泉，來自八卦山湧出的天然礦泉。↘

吟松庵

ぎんしょうあん

□溫泉是日本人生活的重要部分，溫泉旅宿本身就是傳□的代表符號。溫泉旅館往往極盡展現各種日本風情。□飛逸的漢字草書寫店名，也是慣用的表現。於是，這□店章上的七個漢字，除了「北」字，其他六字都讓人□理解障礙。

□待解的七個字分別是指位於「北投」的湯宿「吟松庵」，□「三七」和「六三」兩支「電話」。

□吟松庵曾有一位號稱北投第一的「藝娼妓」，本名峰□，花名「吟子」，如此取名，顯然吟松庵得意的招牌。□過，就在台博之前兩年，二十五歲的吟子竟然服毒自□了，據傳可能是因病生厭世心。緊急送到城內的台北□院（台大醫院前身）內科，還是回天乏術。吟松庵登□報紙極少，但一上新聞，就花朵墜落，引人嘆息。

□吟松庵戰後由台灣人接手，更名「吟松閣」，至今仍保□，為市定古蹟，位於幽雅路二十一號。文化局古蹟資□指出吟松庵建於一九三四年，不知根據為何，然而，□子服毒是一九三三年六月的新聞，吟松庵勢必更早就□經創建。

*

Original Size（原寸）
●↖ D（直徑）50mm

花月
かげつ

北投溫泉各館中，花月算年輕，台灣博覽會期間，只有兩歲多，一九三二年底才落成開張。

隨著熱鬧的博覽會落幕，花月裡，濃濃的嫉妒在一角暗暗長大。一九三六年的七月二日，前一天的驟雨已停，早晨天氣清朗，仍擋不住黑黑的醋意，花月四十七歲的女將出發了。她到今天西門町北的末廣町，走進房子的深處，拿出西洋剃刀，朝一個藝妓的脖子右側劃過去。兩人陷入纏鬥，藝妓的母親來阻止，一團亂鬥的結果，三人都負傷流血。

原來，花月的老闆奧田甚三郎和太太結婚十幾年，他們一起奮鬥，開創花月，感情都好，但自從神戶來的藝妓介入後，一切就改變了。她力勸丈夫切斷不倫，即使藝妓都從北投轉到台北工作，丈夫還是離不開。一疊一疊升高的恨意，讓奧田太太犯下殺人未遂的罪。

本案驚動全島，一個月後，法官第一次開庭，報紙說，旁聽席「超滿員」，男女老少，還有花柳界的人也擠進法庭，奧田太太的哀戚模樣，得到滿庭的同情。雖然檢察官求刑三年，一週後，法官判決出爐，處兩年徒刑，但緩刑三年，奧田太太暫時不必入獄。

女將刺殺丈夫情婦的情節，似乎沒有妨害花月的經營。隔年五月，台北市尹（市長）宴請停靠基隆的第五驅逐艦官兵十二人，還是席設花月。 *

Original Size（原寸）
●↖ D（直径）45mm

由喜松

ゆきまつ

不識草書的人，初看這枚紀念章，跟剛端上桌的法國料理一樣，不經侍者解說，根本肉眼看不出是肉、是魚、有果或有草；兩個中文字，一出手就足以把人擋成門外的陌客。上方的字「由」，沒有疑問，但下方是什麼字呢？

認識草書的人，看章上兩字，看得就眉開眼笑了，食香一點，那是「由喜」。

不過，此章像一個調皮的謎題，謎底並非如此簡單、直率，還要認清旁邊那棵樹是松，加進來變成「由喜松」，才是最終的答案。

由喜松為北投溫泉旅館之一，電話六四番，靠近佳山旅館（今北投文物館）。不過，到了四〇年代，由喜松就消失在北投溫泉的名單了。 ＊

Original Size（原寸）
●↖ D（直径）37mm

星乃湯

ほしのゆ

在日本統治之下，能出任總督府評議會評議員，代表獲得了日本官方認可，擁有最高層級的政經地位。此會始於一九二一年，第一任只有九位台灣人，畢業於明治大學的台南人黃欣雀屏中選。兩年一任，新舊洗牌，唯獨黃欣，到了一九四五年，仍是府評議員。日治末期，豪門二代的前台泥董事長辜振甫會娶黃欣姪女黃菖華（婚後改名昭華），更證明黃欣當時的地位。

時間往前推到一九二七年，黃欣的太太郭命治生病，在台南已治療好幾個月，再北上到台北醫院（今台大醫院）三十幾天，終於痊癒，但久病元氣未復，他們選擇到北投溫泉旅館「星乃湯」（星の湯）靜養。依黃欣的作詩與新聞報導，黃太太在星乃湯療養的時間應超過十天。

到溫泉旅宿療傷養病，一直是日本人的醫療文化。一九一三年，三十歲的名作家志賀直哉被山手線電車撞到，頭傷見骨，到兵庫縣城崎溫泉的旅館「三木屋」，休養了三個星期。另一位更大名鼎鼎的作家夏目漱石長期苦於胃潰瘍，一九一〇年，聽從醫生建議，也到伊豆半島修善寺溫泉的「菊屋」住了兩個多月。沒幾天就吐血，一度病危。過了許久他所謂「仰臥人如啞，默然看大空」的日子，最後還是康復離開溫泉旅館了。 ＊

Original Size（原寸）
●↖ D（直径）56mm

草山

くさやま

右邊第二個草山章跟北投章一樣，同出畫家鹽月桃甫繪畫的旅行紀念章系列。遠方是高聳的七星山，中間橫長的建築為草山最具代表性的浴場「眾樂園」。下方左為大型蕨類植物蛇木，也叫筆筒樹。右邊則是茅草；因為這種草滿山遍野，古早人稱陽明山為草山。

名家畫筆的紀念章，到了草山，似乎氣勢要輸給另外一章了。論顏色，正紅就比桃紅規矩、平凡。再說以裸體表示溫泉鄉的情調，其大膽，更逼得聲勢要弱下去了。

裸體這件事一直與違反善良風俗糾纏。日本時代初期，報紙常見警察抓街上赤裸上身的男人，裸體男還會被罵是「裸體虫一匹」或「裸蟲」。夏天來臨前，警察也會開始大聲告誡，別熱到亂脫衣服，違反法令。一九〇六年，西門町這邊有個賣陶器的店擺出一個全裸的母親正在餵乳的陶器人偶，雖然小小的，才四吋高，仍被警察瞪眼，老闆趕快撤掉。

到了二〇年代就不一樣了，挑戰既有尺度之事接踵而來。歐洲傳來新觀念，光裸曬太陽可以強身，紫外線可以治療皮膚病、軟骨病和肺病。一九二七年第一回台展，就有四件裸體畫。隔年台籍畫家張秋海的〈裸婦〉入選台展，報紙刊登畫作，旁邊還題了幾句，「動人情處不須窺」、「尋常裸體總無奇」。台灣的報紙也可以看見近乎全裸的長髮女郎，只圍薄紗長裙，以舞姿出現在可爾必思的廣告裡。 ＊

Original Size（原寸）

●↑ D（直径）35mm

●↑ D（直径）36mm

●↑ D（直径）4mm

草山溫泉鳥瞰圖。從市區到草山溫泉的交通便利，從士林往山上去，沿途會經過巴旅館、警察職員療養所、山梅旅館以及公共浴場眾樂園。

巴旅館

ともえりょかん

國近代的大思想家梁啟超曾經形容自己是「中國的德蘇峰」，深受德富的影響。一九二九年，這位日本知名報人訪台，從北到南巡遊一圈，也造成台灣各界大震動。

臺北帝大總長（台大校長）幣原坦等人發起，招待六十六歲的德富蘇峰上草山。德富當場寫了詩，「凄凄芳草雨如煙，洗骨靈泉人欲仙。駘蕩蓬萊春二月，草山深處會群賢。」那天真的是「群賢」雲集，無一不是詞客、名士。有日本人帶明治維新時期的名人手稿，台籍知名的老師劉克明也帶康熙、乾隆時期的書軸，宴前供德富蘇峰欣賞。宴後，大家分頭作畫、刻印、寫俳句，極盡風雅。

這場名士會的地點就在草山的「巴旅館」。巴旅館為台北城內巴事業集團的一支，與經營草山巴士系統的巴自動車商會同出一脈。所以，午後四點，要把三十幾位客人送上草山，也是請他們齊集今天中華路、漢口街的巴自動車商會，再一起出發。

巴旅館的紀念章上，旅館屋頂飄著的旗子，寫著「トモエ」，就是「巴」字的日文拼音，念起來音似「透摩 A」。一九二三年五月七日，巴旅館就已開幕，佔地頗廣，有網球場，一九三五年迎接台博，又有增建，在會期中的十月二十五日啟用。巴旅館位於今天士林區陽明路一段十二號，戰後日產被接收而變成聯勤陽明山招待所，原貌幾乎已消失，只剩浴池、石壁還是舊物，目前整個招待所也處於關閉狀態。 ＊

豫而増築中の大廣間が此程落成致しました本日より御利用被下度御願申ます

時望絶佳 室內清新 大廣間（本月開）新設

何卒御宴會等に御用命の程偏に御願ひ申上ます・・・

行樂の臺灣 享樂の草山

巴旅館

←
一九三五年迎接台博，
巴旅館增建了大廣間
（榻榻米鋪的日式大宴會場）。
↖
中間雙手抱胸者為德富蘇峰。
站在最左的石川欽一郎，繫著蝴蝶結，
是多位台灣前輩藝術家的老師。

Original Size（原寸）
●↖ D（直径）36mm

草山ホテル

くさやまほてる

（草山旅館）

「草山ホテル」即中文的「草山旅館」，屬於草山溫泉區重要的湯宿。

日本時代，有日本人形容草山溫泉區為「台灣の箱根」、「幽遠閑雅の靜養地」。海拔四百四十三公尺，比平地清涼，溫泉區內有好幾家溫泉旅館和浴場，眾樂園、巴旅館、貴賓館、大屯旅館之外，就是草山旅館了。

草山旅館也是唯一台灣人經營的湯宿。老闆李築碑生於一八九六年，年輕時曾入日本大財閥「鈴木商店」，後來獨立經營雜貨和運送業，二〇年代初期，頂下北投的東薈芳餐廳，更名為新薈芳溫泉旅館。看好一九三五年台灣博覽會，搶在當年年初，又在草山大興土木，打造了草山旅館。依一九三五年的廣告，北投新薈芳為本店，草山旅館為支店。

草山旅館的範圍在今天的紗帽路一百號和陽明路一段二十五號等地址上，舊建築已經消失，只有紗帽路上還殘留「新薈芳」的公車站名，與草山旅館跨時空一絲相連。

＊

草山溫泉ト北投

本店 新薈芳 電話一六・四九番

支店 草山ホテル 電話十九番

↖李築碑在草山打造了唯一由台灣人經營的湯宿。

Original Size（原寸）
●↖D（直径）35mm

山梅館

やまうめかん

木工師傅楊雲源毫無疑問，喜歡泡溫泉，上了草山，在眾樂園入了場，山梅館也蓋下「入浴記念」章。

山梅館紀念章上，旗幟飄搖，上面寫著「山ウメ」，「山」字大家都看得懂，片假名「ウメ」則標記「梅」的發音，念音近似中文的「烏妹」。

山梅館在草山溫泉旅宿中也算老資格，一九二二年有個統計數字，警察職員療養所成績最好，全年入宿七百多人，泡湯不過夜的一千八百多人，草山公共浴場緊追在後，山梅館全年宿泊客才一百二十四人，當日歸去的湯客也只有一百六十五名，換句話說，平均大約三天才有一個旅客住下來、一個人踏進來泡湯。當時的山梅館雖說冷清，也是幽靜。

山梅館座落在今天陽明路一段三十六號，與舊時的眾樂園相距一百公尺左右，和今天的中山樓也不遠。 *

Original Size（原寸）
●↖ D（直徑）39mm

多喜の湯旅館

（多喜乃湯旅館）

たきのゆりょかん

登上陽明山，沿著陽金公路走，經過中國麗緻飯店，不遠有一座不搶眼的橋，橋下跑的是磺溪。橋頭柱有昭和時代的味道，刻著「福壽橋」。福壽橋前身為「多喜乃橋」，日文「乃」字與「の」相通，此橋其實是多喜の湯旅館的一部分。

過了福壽橋，左手邊就是日本時代的「多喜の湯旅館」了，佔地三百五十坪左右，涵蓋現在的陽明路一段一號到二十三號。旅館今已不存，化為多處宅邸，從紀念章略可一窺多喜湯的舊風景。

紀念章右側有個紀念碑，上寫「東宮駐駕記念碑」，必須結合碑的右邊小字「大正十二年四月二十五日」一起看，講的是一九二三年（大正十二年）春天，昭和天皇裕仁當時還是東宮皇太子，來台十二天，四月十六日到基隆，二十七日一早離開台北。前幾天往中南部，行程滿檔，到二十五日已近尾聲，安排轉輕鬆，到草山、北投溫泉區「清遊」。

皇太子前腳一走，後腳長出不少類似的紀念碑，像是十八日去的台北太平公學校，校園內就立起「皇太子殿下行啟記念碑」。

多喜の湯紀念章裡的東宮駐駕記念碑，左邊有幾個小字，隱約可見「鷹取克明」，他是題字人。鷹取本名鷹取田一郎，另有號岳陽，一九〇八年來台任官時已經三十九歲，會寫中文的律詩絕句，也善中國水墨畫，是日治時期來台的日本漢詩人，一九一六年編寫了全中文的《台灣列紳傳》，是台灣近代史重要的工具書。 ＊

↖ 走過多喜乃湯橋，就是佔地廣大的多喜乃湯旅館。

Original Size（原寸）
●↖ D（直径）45mm

眾樂園

しゅうらくえん

記念章上有一棟古典洋房，像個歐洲莊園似的，確實符合真實建築該當的氣質。眾樂園是日本時代官方在草山上興辦的公共浴場，概念上就是公共澡堂，但絕不能被這幾個普通字誤導，以為是幾個隔板房間的簡單公家設施。北投石的砌牆，穩重堅韌，典雅中發散樸拙之風。

一〇年代，草山本來就有公共浴場。台北民眾泡湯入浴，可去北投，草山也是選項。

二〇年代中期，昭和天皇即位，日本有一種慶祝的方式稱之為「記念事業」，以有意義的、實質的建設來慶賀，不是僅只有提燈、遊行、喊口號。台北州當時就提出要建築嶄新的草山公共浴場。一九三〇年十一月二十日，終於完工啟用。裡頭除了一般的浴池，還有兒童池、撞球室、食堂、賣店，還提供報紙雜誌和棋盤。泉質中性，色調白濁。大人入浴只需五錢，小孩三錢，遠比看電影便宜，跟吃一小包森永牛奶糖差不多。

開場之初，建築外還設遊樂區，有小孩人見人愛的盪鞦韆、翹翹板，還有一、兩層樓高的大鐵籠，飼養著猴子，娛樂值更高了。難怪一開幕連續幾天大滿員，第三天遇見假日，還爆量到五百多人進場。

一九三五年博覽會期間，眾樂園才只有五歲，一切還很新穎。十一月二十四日，木工楊雲源搭上草山的循環巴士，買了「入浴券」，享受了眾樂園。雖說泡湯是日式生活，但根據眾樂園當年的統計，台灣人浴客多過日本人。

現在已經八十七歲的眾樂園，已列為古蹟，保存尚好。戰後一度為陽明山管理局的辦公室，現在充當台北市教師研習中心。

＊

Original Size（原寸）
●↗ D（直径）30mm
●↗ D（直径）48mm

↑
大人入浴只需五錢，小孩三錢，
遠比看電影便宜，跟吃一小包森永牛奶糖差不多。

↙
草山眾樂園在一九三〇年十一月才落成啟用，
雖說是公共澡堂，但可一點都不陽春。

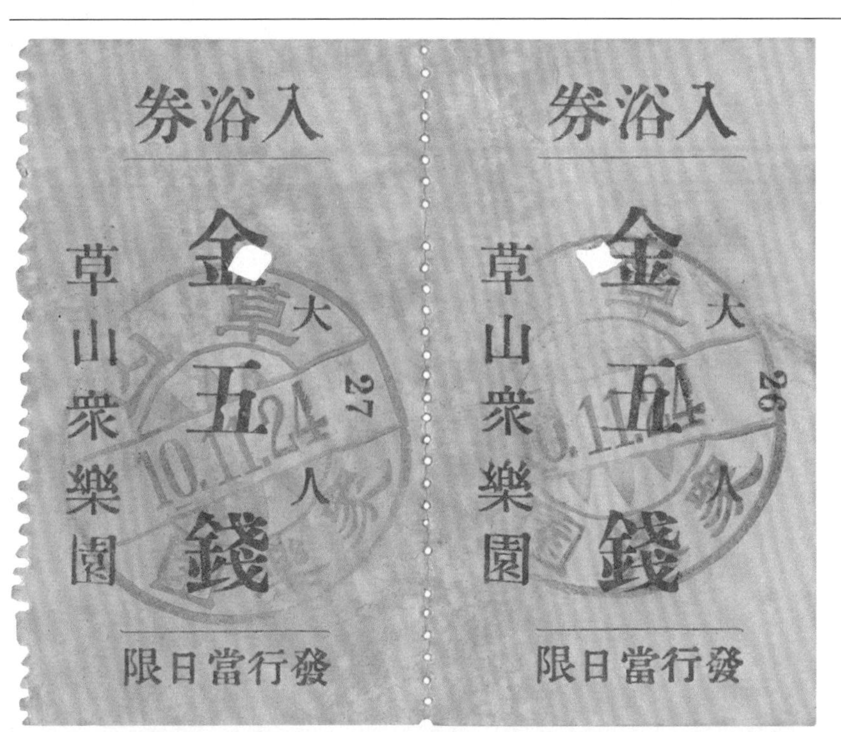
入浴券
草山衆樂園
金五錢
大人
10.11.24
27
入浴券
草山衆樂園
金五錢
大人
26
發行當日限
發行當日限

10.11.24

臺灣 草山衆樂園 浴室
OUS PLACES IN FORMOSA

大屯ホテル

だいとんほてる

（大屯旅館）

一商家趕在一九三五年台灣博覽會熱潮前開幕。紗帽
上，大屯ホテル（大屯旅館）於九月十五日才開披露宴
待各方，十六日開始營業，距離博覽會揭幕才二十五
而已。

大屯旅館紀念章跟空拍照片一樣，建物模樣清清楚
。佔地三百坪，以石頭砌築兩層樓的貴賓館，也有平
的和式、洋式客室，每間都可泡湯，乳白色的溫泉源
湧出。其他，寫真室和桌上電話等高級配置，讓大屯
館晉升為草山最貴的旅館，當別家的宿泊料（住宿費）
貴五圓時，大屯則是五圓起跳。

大屯旅館兩大老闆之一的三谷芳太郎並非純旅館業出
，他在山下的西門町，今天峨眉街五十二號誠品西門
的土地上，曾經營一家著名的咖啡館「モンパリ」，念
如「夢巴黎」，其實是法文的「Mon Paris」，意思是
我的巴黎」。

這家咖啡館跟今天的咖啡店不大一樣，當時稱為「カ
ェー」，雖然一樣源自法文的Café，但日本時代的咖
館也賣酒，有陪酒陪坐的小姐，文人雅士和商賈在咖
館交際是當時的流風。而據一九三六年的雜誌《台灣
論》指出，「我的巴黎」是台北數一數二的大咖啡館，
姐的收入也在業界居冠。

紀念章上指明大屯旅館位於台北郊外「奧草山」，日文
奧」的字意是「深處」，換言之，在草山（陽明山）更進
的地方。戰後被接收為空軍新生社，現為警政署保七
隊刑警大隊，地址是北投區新生街十一號，可惜原建
已完全被拆除。

＊

Original Size（原寸）
●↗D（直径）57mm

屯旅館以石頭砌築兩層樓，佔地三百坪。
圖為玄關，下圖為門口上下車處。

日本航空輸送會社

にほんこうくうゆそうかいしゃ

本航空輸送會社是台灣最早的航空公司，開啟了台灣
航的首頁。

日航輸送會社是東京的公司，於一九二八年十月二十
創立，隔年四月一日開始載客，飛行於東京、大阪、
岡和京城（今南韓首爾）、上海、大連之間，並不包括
灣。直到一九三五年博覽會期間，才籌劃妥當，蓄勢
發，一、兩個月後的新年元月二日，才終於飛出史上
一班民航。

紀念章上的「台灣內地間定期航空」，內地意指日本本
。最初民航就只飛台北與日本的福岡，中途會停琉球
那霸。所以，十一月二十三日，楊雲源蓋下日本航空
送的戳章時，還未正式啟航。

博覽會期間，日本航空輸送會社倒是提供了體驗式
「遊覽飛行」，讓一般民眾有機會嘗鮮。遊覽飛行搭正
民航機，只不過，就只有在台北上空繞一圈，飛個十
鐘而已。一次飛行只載六個人，一個大人收費五圓，
孩四歲以上就等同大人。五圓大約是現在五千元的價
，不是每個人都捨得，不過，能從空中俯瞰城市、綠
，實在太稀奇了，結果，總共升空三百三十七次，有
千零二十二人搭乘。而且，博覽會官方紀錄指出，乘
大半是台灣人。

十一月底台博熱鬧閉幕，隔年一月二日，台灣民航
始，仍有台灣人樂於嘗試劃時代的嶄新交通工具。一
三十日午後三點三十七分，由琉球那霸飛抵台北松山
場一班客機，就有苗栗的牙科醫生張雲興從機艙走
來。 ＊

灣最早的航空公司
本航空輸送會社」在松山飛行場的機庫。

Original Size（原寸）
●↖ D（直径）45mm

日本航空輸送株式會社格納庫
5 4 3 2 1 1 2 3 4 5

株式會社格納庫

愛知館
160
北海道館
161
番屋
實演場
156
157
158
鉄道案内
159
第二文化施設館
第一文化施設館
茶
特賣
臘寮
台中案内所
專賣館
155
東京館
大阪館
國防館
電氣館
前庭
海事館
満洲館
興業
賣店
音樂堂
奈良館
森永館
京都館
銀行
演藝館
龍館
賣店
興業館
特賣
映画館
郵便局
迎賓館
コドモノクニ
164
台北放送局
總督官邸
長官官邸
度量衡所
文官舍
官舍
日本勸業銀行支店
住宅

第一會場。
產業館
公設質鋪
南警察署
林業館
公會堂
滿洲館
154
救護所
案內所
交通特設館
台湾日日新報社
西門市場
稲荷神社
陸橋
府縣館
憲兵隊
偕行社
西本願寺
福岡館
三井館
153
書院
遞信部
電話交換局
衛戍監獄
鑛山館
糖業館
152
軍司令部
高等地方法
總督

糖業館

とうぎょうかん

業館紀念章有兩位年輕女性，左為盛裝和服的日本
，右者穿襲地旗袍，並非中國人，而是一九三五年當
台灣的時髦、高貴女性。
時髦之點不是只有旗袍（台灣人稱「長衫」），腳踩的
跟鞋也摩登，短髮更前衛。歷來台灣女性都留長髮，
不准披頭散髮，孩童、少女會綁辮，婦人則梳包包
。二〇年代，洋風徐吹，一九二五年，報紙刊登大稻
藝旦阿寶率先剪齊耳短髮，頗為驚世駭俗。當時稱剪
髮為「斷髮」，專屬年輕摩登女性的次文化。一九三〇
前後，少女為了斷髮，被父兄斥責，跳運河、吞硝酸
圖自殺的都有。
紀念章台日兩位女性共同扶持的就是台博的糖業館，
於今天中華路與愛國西路口。下方圖案有冒煙大煙囪
工場，那是台灣南部常見的糖廠模樣，如果多畫一段
軌從糖廠滑出，就更傳神了。
日本時代，台灣現代化的糖廠分屬民間會社，共九家
展博覽會，包括孕生明治巧克力的明治製糖。另外，
日本製糖、鹽水港製糖、台灣製糖，規模也都不小。
雄大寮有新興製糖，彰化二林則有三五公司。
踏進糖業館，入口有兩個大容器，裝了冷糖水，免
招待參觀民眾。據博覽會的記錄與統計，會期雖在十
、十一月，仍處「殘暑」（意即中文的秋老虎），一大
人來喝糖水。五十天會期，總共接待了糖水客約五十
，平均一天湧入一萬人。這樣的盛況，彷彿證明了展
的一個主題「糖業は台灣文化の母」；台灣就是糖多，
十七世紀荷蘭統治起，就能出口了。
木工師傅楊雲源都進糖業館蓋章了，不知道是否也順
一嘗大受歡迎的冷糖水？

＊

Original Size（原寸）
●↗ D（直徑）53mm

業館佔地兩百四十坪。

業館準備了冷糖水，免費招待參觀民眾，
十天會期，總共接待了糖水客約五十萬。

空中鳥瞰糖業館所在的台博第一會場。↗

業館案內及紀念繪葉書。↘↘

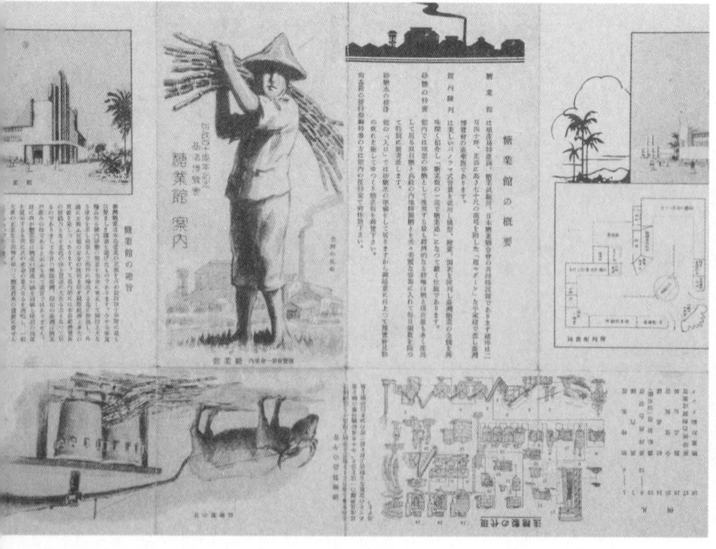

朝鮮館

ちょうせんかん

十九世紀末，日本與中國打了甲午戰爭，以朝鮮半島為戰場，勝利的日本取代中國之於朝鮮王朝的地位。王朝改為大韓帝國。一九〇七年，大韓帝國成為日本的保護國。三年後，被日本吞併，地位再降，淪為日本領土。朝鮮總督府變成半島上最高行政機關。

到了一九三五年，朝鮮只是日本國土下的一部分，當朝鮮總督府也來台灣博覽會設展館，朝鮮館就跟日本各縣展館排在一起了；右手邊福岡館，左手邊是三井財閥集團的三井館。

朝鮮館內，有各種工商、旅遊介紹。朝鮮跟台灣一樣實施專賣，逛到專賣局出品的小區，可以發現，菸、鹽兩項跟台灣相同，但朝鮮沒有糖，台灣則沒有朝鮮的人蔘。

朝鮮館招聘了十位「女看守」，除了看管，也負責現場銷售。她們穿著傳統韓式衣服，增添無數風情。不過，朝鮮總督府就地招募在台灣居住的日本人和台灣人，所以十位朝鮮館女看守沒半個是韓國人。 *

↖
朝鮮館被安排在福岡館
與三井財閥集團的三井館之間。

↙
進到朝鮮館內除了有各種工商、旅遊介紹，
也販售人蔘等朝鮮總督府專賣的物產。

Original Size（原寸）
●↖ D（直徑）64mm

工産

滿洲館
まんしゅうかん

滿洲館設在第一會場，今天中山堂前的廣場。展館外表完全現代模樣，看不大到滿洲國傳統的元素。因為滿洲國為外國，有關稅問題，滿洲館的展覽品無法在台博現場販賣，也跟其他展館不太一樣。

滿洲館發出七千張招待券，送給官員、大會社高層和各方名流，招待他們到館場深處特設的「茶寮」，吃滿洲蘋果，喝蘋果汁。

到了十月二十七日，滿洲館來到活動高潮。滿州國的駐日大使謝介石當主人，在館內茶寮宴請五十幾位台灣高官貴紳，大家合唱兩國國歌，高喊萬歲。謝介石是博覽會期間來台訪問的最高層級外賓。他的背景很戲劇性，五十七歲，會說台語，根本就是出身新竹的台灣人，擔任滿洲國駐日大使之前，曾是滿洲國開國第一任外交總長。 *

↖
楊雲源於十月十七日戳蓋滿洲館章於油印的便箋封面上，難窺全貌。本書試以官方檔案圖為本，上色還原。

Original Size（原寸）
■↗ H（高さ）52mm×W（広さ）52mm

洲館設在第一會場，
館外表看不大到滿洲國傳統的元素。

其他展館不太一樣，
洲館的展覽品無法在台博現場販賣。

專賣館

せんばいかん

一九三五年台博期間，從衡陽路和懷寧街口的二二八公園入口踏入，就會瞧見專賣館的高塔，整個專賣館即以博物館後方的噴水池為中心打造的圓形展館。八十幾年後的今天，專賣館最值得回想的不是展場內容，而是陳海沙這個人。

日治後，總督府設立台北工業學校（今台北科技大學），培養出台灣第一批現代建築人才。陳海沙即工業學校畢業生，自創「光智商會」，承造許多公家建築，像草山公共浴場「眾樂園」和碧潭吊橋，兩處現在都成了永恆的古蹟，也是陳海沙可驕傲的人生印記。一九三五年，陳海沙標得博覽會展館之一「專賣館」的工程，在各展館還沒動靜時，他已經率先動工。展館不像鋼石建築，可以留存久遠，陳海沙建造的專賣館只能從黑白照片感受一二了。

一九三五年當時的專賣館內，擺了五百三十年的老樟木，一進去就聞得到樹香。除了樟腦，與民間生活相關密切的菸酒，也都屬專賣物品。展館內有許多可觀的實演，專賣局把真正的製菸機器推進去，觀眾可以親睹機器一分鐘捲好六百支香菸，像機關槍一樣，一支一支射出。也可以看見機器自動幫酒瓶貼上標籤。專賣館內，買菸酒都有打折，也很討人歡喜。最後結算，專賣館的銷售金額居各展館之冠，比第二名的京都館高出兩倍以上。 *

Original Size（原寸）

●↗ D（直徑）55mm

●↖ D（直徑）55mm

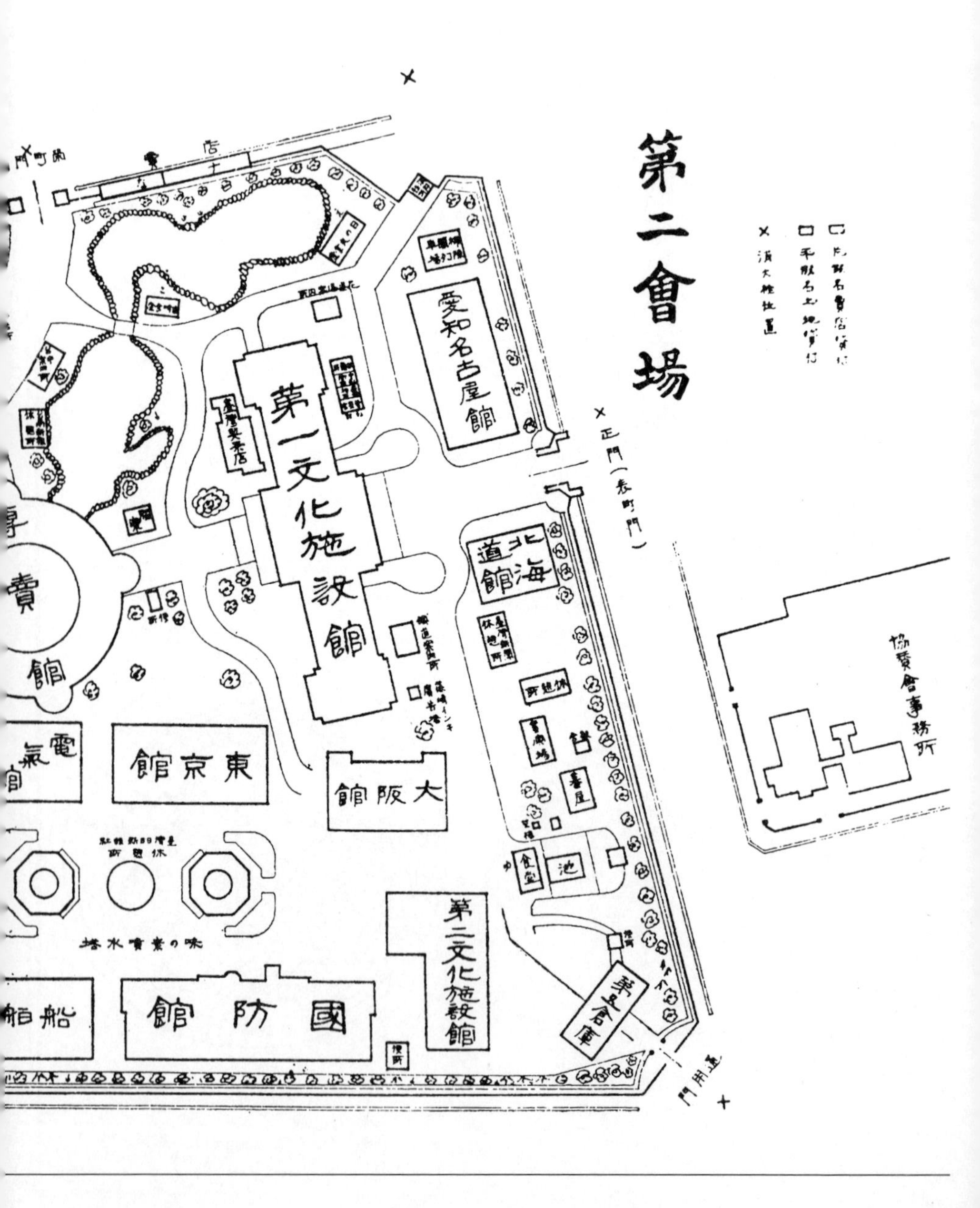
第二會場
愛知名古屋館
第一文化施設館
北海道館
大阪館
東京館
國防館
第二文化施設館
正門（表町門）
協贊會事務所

官方繪製第二會場配置圖，
即今二二八公園。
↘

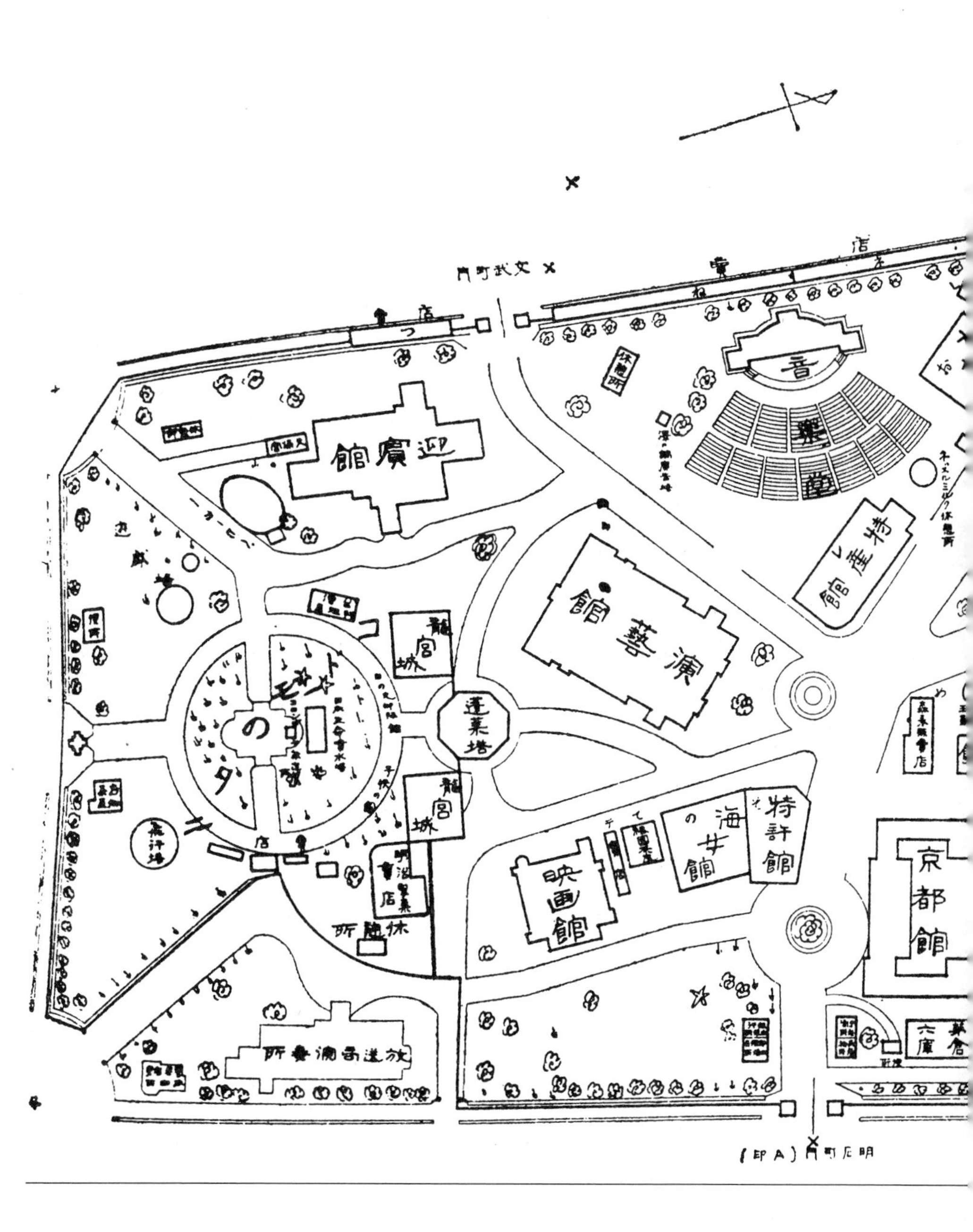

入第二會場，專賣館即在眼前。

海沙的「光智商會」承造的專賣館造型獨特，
形建築的上方有著長方形的高塔。

賣館附設的「腦寮」堆滿了老樟木，
進去就聞得到樹香。

灣專賣局在台博這一年推出香菸品牌「曙」，
把製菸機器推進展館，讓觀眾親睹捲菸的流程。

イカリソース
イカリソース

第二文化施設館

だいにぶんかしせつかん

台博有所謂第一與第二文化設施館，簡明來說，兩個展館就是總督府施政成果展示會。第一文化設施館使用既有的博物館充當展館，展示主題以教育政績為主。第二文化設施館另建於博物館的東側，已經靠近今天的公園路與襄陽路入口，展示內容較多元，從原住民政策、警政、衛生、消防到紅十字會。

第二文化設施館的紀念章似乎跟上了展館內容的特質，簡單中有一點枯燥。唯一較引人好奇的是「皇紀二五九五年」。

今年二〇一八是西元紀年，世界各地有自己標記生命歷史的算法，台灣有民國紀年，「皇紀」則是日本紀年。日本天皇家族號稱「萬世一系」，沒有一個天皇來自不同的家族，紀元就從第一位天皇神武天皇即位起算。西元年再加上六百六十年，就是日本皇紀年分。

台灣在日本時代的五十年，最容易記憶的皇紀年分是二六〇〇年，也就是一九四〇年。在那之前幾年，常可以看見學校畢業紀念冊上，突然在一角就來個四碼數字，「二五九八」、「二五九七」，這些全都是日本的皇紀年分。 ＊

Original Size（原寸）

■↖ H（高さ）53mm×W（広さ）58mm

、第二文化設施館展示內容多元，從原住民政策、警政、衛生、消防到紅十字會。

↗ 從空中鳥瞰台博第二會場（今二二八公園）。

第二文化施設館

台湾の警察

たいわんのけいさつ

日本時代，台灣的警察實在太有特色了，前輩小說家賴和形容是「草地皇帝」。

二〇年代，一位姓朱的福建仙遊人，前一年來台，跟他許多同鄉一樣，到台北拉人力車為生。今年，跑去彰化，突然又到基隆海產物店，後來又在大稻埕晃來晃去，衣冠楚楚，宛如紳士。讀到這裡，如果以當今民主自由的眼光來看，普通行徑而已，沒有人會覺得他有問題。但是，日本時代的警察裝有特殊嗅覺裝置，據報紙描述，警察只覺得朱先生的行動，跟他的「身分不相稱」、「舉動可疑」，就把他留置在警局調查一番。

賣舊貨的古物商有可能藏著贓物，也特別受到警察關注。有一天，警察踏進西門町這邊一家古物商，叫老闆把帳簿拿出來，此舉放到今天實在不可思議，但日本時代警察就是權力大如皇帝。姓土屋的老闆也太有梗，在帳簿上竟然記載客人名單有武田信玄、乃木希典等古代名人，不正不經的，於是被警察臭罵一頓。

被捉去派出所、被訓斥一頓，都還是小事；動輒摑巴掌，或罰農人跪在派出所前，時有所聞。台灣警察還有一個太上權力，可以拘留二十九天。一九二九年，新竹一個十七歲青年愛花錢，跟老父伸手不遂，竟然拿利刀威脅，警察就抓去拘留二十九天。

據老一輩人說，即使剛剛二十九天拘留期滿，可以馬上再關另一個二十九天，根本沒有人敢「相假肖」(太亂來)，對警察多嗆一句。然而，什麼是「台灣の警察」？在博覽會第二文化設施館中，被強調的台灣警察卻是另一種面貌；為建設台灣而殉職的員警有四千五百七十八人。 ＊

Original Size（原寸）
■↗ H（高さ）48mm×W（広さ）43mm

、
博覽會第二文化設施館中，「警察」為展出的主題之一。

消防

しょうぼう

第二文化設施館內有多元主題，包括原住民、警察、消防、法務和衛生，衛生相關的還特別分出「腦」、「癩」等議題。據博覽會官方的記載，消防區的呈現最吸引注目。

像一個大店面的十二尺寬展區，做了許多假人，十五個假人裝了電動器，製造逃離火災現場的逼真動感。玻璃窗後，裝了回轉式燈光，模擬炎炎火焰。還有兩台消防車、一台防火梯車、一台撒水車，大小都為實體的十分之一，金屬製作。另外還以霓虹燈來增添噴水的實感。

火災的現場則以高樓櫛比的市街為背景，路口一棟六層樓著火。承辦的消防協會可能意在表現台灣消防組織有能力對付高樓層火災，但實際上，日本時代台北的高樓標準不同於今。當時台北市鬧街有好一些三層樓房，城內最高的菊元百貨也只有六層樓（頂樓有餘興場等設施，有人形容為七層樓）。

總督府中央塔高六十公尺，一位年過九十的老太太受訪指出，她在戰爭末期「疎開」（都市市民避難疏散到鄉間）到社子島，借住一棟陳家三層高的八角樓，站在三樓，都還可以清楚望見總督府，中間全無高樓遮蔽。 ＊

Original Size（原寸）
■↖ H（高さ）65mm×W（広さ）67mm

鐵道案內所

てつどうあんないしょ

今天二二八公園裡的台灣博物館，從門口走下階梯，台博期間，右手邊有一個木造方形小屋，十二坪大而已，寫著「鐵道案內所」。

台博使用二二八公園為第二會場，會場有四個案內所，其他三個為花蓮港案內所、台中紹介所及博覽會本身的會場案內所。第一會場（今西門中華路沿線）則有新竹州案內所、台東廳案內所。

日文「案內所」類似台灣的「服務中心、接待中心」，案內所可以幫忙解決疑難雜症。台博的各案內所本質上就是旅遊中心，藉博覽盛會人潮滾滾的機會大大宣傳。新竹州案內所的牆上就貼滿了名勝、名產的照片，前者如名園「爽吟閣」，後者如油田、椪柑園。之前也散發一萬張接待券，來客持券到案內所可以試吃椪柑羊羹等新竹特產。台中案內所則陳列各種土產，觀眾可以在那裡買到大甲帽、鹿港鳳眼糕、乾筍等等。

鐵道案內所由日本本土的鐵道省派兩位職員進駐，台灣的交通局鐵道部也派出兩名，主要案內事項是賣票。事前考慮頗為周密，推估博覽會將帶來百萬旅客要搭火車，怕台北火車站和萬華火車站消化不了，希望在會場設置鐵道案內所來分散旅客。但是，結果博物館前的這個案內所，五十天會期，只賣出四百七十七張車票，一天不到十張，可見效果不盡理想。 *

↙
鐵道案內所僅十二坪，可以在此購買火車票。

Original Size（原寸）
●↖ D（直徑）45mm

祝臺灣博
臺灣新聞休憩所

愛知名古屋館

あいちなごやかん

來自愛知縣的名古屋館，有一個「怪」章。

一般紀念章有許多形狀不規則，但多半一望能知其中邏輯，譬如是一個高塔的圖案從圓形中破出，造成圖案不規則，但仍能清楚判明。名古屋館章卻讓人一時摸不着頭緒。比對地圖，才發現原來是愛知縣的縣境範圍。

另外一怪來自同一枚章。左側一隻怪魚，有一口凶悍的牙，一臉嚴酷的表情，翹起的魚尾也像隨時可以把不順眼的人掃走。原來這位魚兄是日本人想像出來的神「金鯱」，不能呼風喚雨，卻可以把水給叫來。在名古屋天守閣之頂放了南北兩隻金鯱，就可以高枕無憂，不怕火災了。雖然不是只有名古屋城安鎮金鯱，但金鯱早已成名古屋的代號。

這一枚章還有一怪。標示拜訪展館的日期，乍看月份，好像「二」，其實是顛倒的阿拉伯數字「11」。工作人員顯然疏誤。是他還是她，累了嗎？

雖有三怪之多，倒也有一個可愛。請仔細近看紀念章上「愛知名古屋館」的「愛」字，愛裡的「心」，轉化成兩個眯眯笑的眼睛，實在可愛。 ＊

、愛知名古屋館外觀仿名古屋城。
－館內展示日本國產品牌的摩托車和腳踏車。

Original Size（原寸）
●↗ D（直径）47mm
■↖ H（高さ）45mm×W（広さ）49mm

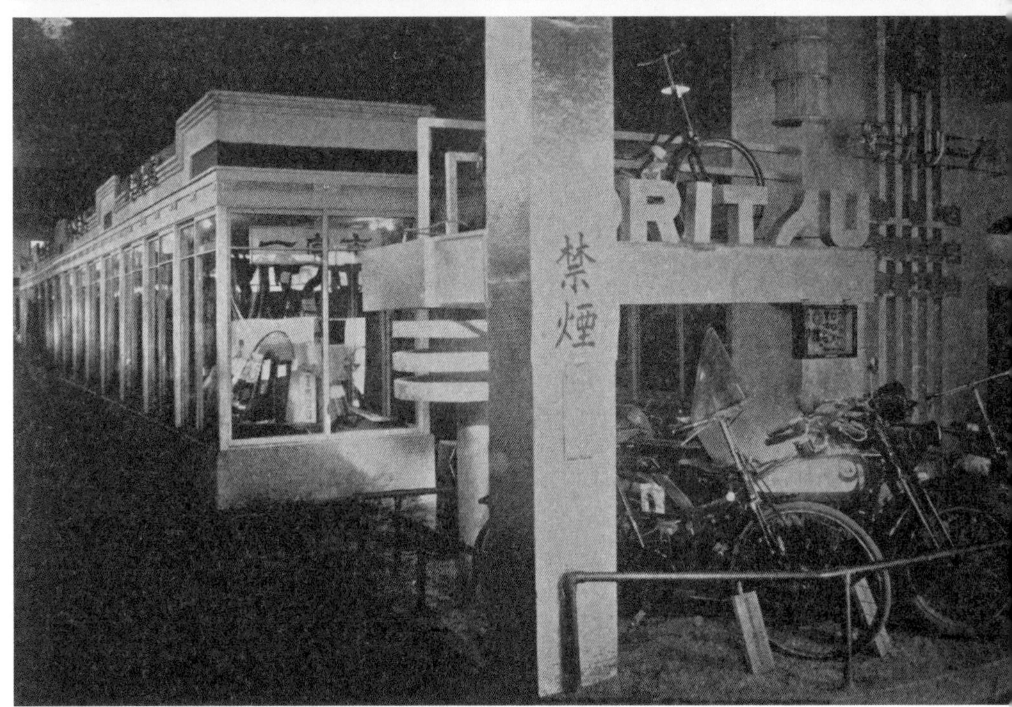
禁煙

北海道館

ほっかいどうかん

本時代，從台北火車站沿著館前路走到路底，就會遇和車站遙遙對望的博物館。台博時，博物館前的廣場搭建了兩個展館，右為愛知名古屋館，左手邊就是北道館。

北海道的牛奶產量佔日本全國的比重，戰後六〇年代約兩成，近年來北海道牛奶一直給人夢幻般的濃醇印，佔比也增長到過半。戰前，北海道酪農業已經拚命銷。台博期間，北海道館內設了一個牛奶小站，六坪已，給觀眾試飲，現場賣一杯五錢，一天大約售出兩多杯。開幕之前，北海道廳官方也廣發兩千張牛奶試券給台北市各界人士，大力宣傳。

等到十一月十六日到十八日，三天的「北海道日」期，凡購買北海道特產者，都免費發送長切昆布和鱈魚片。第二會場的映畫館（電影館）在播放北海道觀光片時，入場民眾還可以獲贈一小罐牛奶。

這樣有看有拿的北海道館，換到今天應該還是很吸引吧 !?

＊

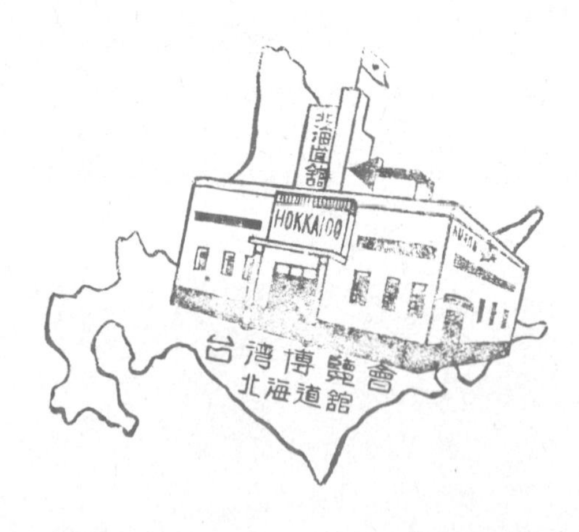

海道館入口處上方
偌大的立體招牌。
HOKKAIDO」為北海道的羅馬拼音。

內展示了北海道的模型，
配當地的人口與農業相關的統計資料。

Original Size（原寸）
■↖ H（高さ）50mm×W（広さ）58mm

HOKKAIDO

户数六十三万户
人口三百万人
北海道廳

花蓮港案內所

かれんこうあんないしょ

博會場有好幾個案內所，花蓮港案內所位於今二二八
園的台灣博物館的西側，由花蓮港觀光協會經營。既
觀光協會出面，就知道以宣傳花蓮風光為要務了。

花蓮案內所章乍看無法一目了然。右半有車走在高山
崖邊，大約看得懂。左半，皺褶般的扭曲線條，就有
費解了。拉遠一點看，並且嘗試把線條拉正，再懂一
日文片假名，タロコ峽幾個字就會浮出來了。タロコ
就是太魯閣峽谷。

現在遊訪太魯閣，總要在東西橫貫公路入口的牌樓
照留念。日本時代，同一地已經是必拍景點。只是當
候沒有中國式的牌樓，唯獨在山壁旁立了一個細長的
子，寫著「國立公園大タロコ」。日本時代，楊雲源
到太魯閣旅行，就在此拍了一張紀念照；時間應該是
九三八年，因為他的收藏品中有一枚略帶桃紅色的太
閣戳章，時間記載「13.5.14」，亦即昭和十三年五月
四日。

日文「國立公園」，意即國家公園。一八七二年，美國
立黃石國家公園，保育觀念走在世界最前頭，禁止私
在國家公園內開發水力、森林或放牧，更禁止獵殺動
、破壞既有地質。一九三七年十二月，台灣總督府也
進國家公園的觀念，指定三處「國立公園」，其中次高
魯閣國立公園含括了雪山和太魯閣地區。 ＊

日文片假名「カレンコウ」標示花蓮港，念音近似「卡蓮蔻」。

Original Size（原寸）
■↖ H（高さ）46mm×W（広さ）49mm

タロコ
カレンコウ
案内

臺灣花蓮港全景
FAMOUS PLACES AND FINE PROSPECT IN
KAREN-KOU, FORMOSA.
(片山發行)

↘ 日本時代，花蓮稱花蓮港；上圖為花蓮市區，下圖為花蓮火車站。

臺灣花蓮港停車場
FAMOUS PLACES AND FINE PROSPECT IN
KAREN-KOU, FORMOSA.
(片山發行)

↗
楊雲源（右）一九三八年遊太魯閣國立公園，
於入口留影，並蓋旅行紀念章在明信片上。

Original Size（原寸）
■↗H（高さ）46mm×W（広さ）36mm

明治キャラメル販賣所

めいじきゃらめるはんばいしょ

（明治牛奶糖販賣所）

Original Size（原寸）
■↑ H（高さ）55mm×W（広さ）45mm

個博覽會最好玩的展館應該是紀念章上的コドモノク，也就是「子供の國」（孩童的國度）。非博覽會的直營物，而是協贊會的設備。

協贊會的角色是由民間策畫一些周邊的餘興、表演、動，譬如有一天在二二八公園的音樂堂辦「美容の」，教女性觀眾化妝。還有爵士之夜、有聲電影之夜、用犬表演、放傳書鴿等等。子供の國也屬於協贊會的作。

從今天凱達格蘭大道的二二八公園入口進去，和平的位置是當年子供の国的中心點，那時候站著第四任督兒玉源太郎的全身像。佔地三千坪，跟個遊樂園一，兒玉像周邊有大象和獅子造型的兩座溜滑梯、二十動物造型的長板凳，其他還有許多旋轉木馬、兒童、戰車等，都可以坐上去玩。

最受歡迎是「飛行塔」，裝有四部小飛機，總共吸引萬人次搭乘。據老一輩的回憶，坐上飛機後，就開始圈而上，飛到最高點，再一圈一圈繞下來。一位住台的陳姓老太太說，她當時才七、八歲，已經像個小大，一波一波南部親戚來，就帶去逛博覽會，她每次都請親友等一下，她去坐飛行塔再回來，所以，整個博會就只記得搭飛機。

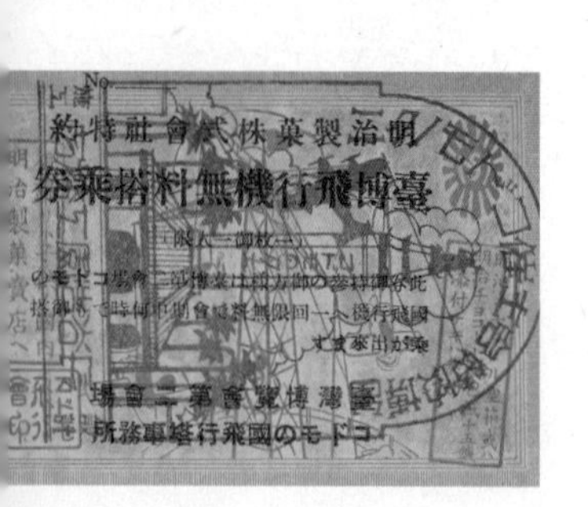
明治製菓株式會社特約
臺博飛行機無料搭乘券
臺灣博覽會第二會場
コドモノ國飛行塔事務所

治製菓會社發行子供の國飛行塔免費搭乘券，雲源就拿到一張。

治製菓會社在子供の國所設的賣店，面高柱寫「明治キャラメル（明治牛奶糖）」。

孩童玩累了，就要歇歇腳，吃點零食。子供の國有五、六個賣店可供選擇，明治製菓會社就在此設了販賣所和喫茶部（類似今天的咖啡店，有輕食和咖啡），佔地三十五坪。明治販賣所主推的商品，自是當時小朋友最喜歡的牛奶糖，也就是紀念章上寫的「キヤラメル」。

明治製菓與子供の國有約定，發行免費搭乘券，木工楊雲源就拿到一張。

三〇年代中期，明治製菓已經在全日本擁有超過三十家「賣店」，台北賣店於一九三〇年開幕，位於市區最繁榮的榮町，鄰近子供の國。當年去明治製菓喝咖啡是時髦事，台北賣店三層樓高，有白色外牆，很現代感，還裝了台灣的第一個霓虹燈，吸引許多文化人到明治製菓賣店聚會。「台灣文藝家協會」、「台灣音樂欣賞之夜」，都在這裡留下腳跡。著名小說家、演劇家呂赫若在一九四二、一九四三年的日記，也多次記載在這裡和朋友聊天、吃午飯、「互相談論出版的事」。 *

↗
「子供の國」場館內的飛行塔，
高塔上有四部飛機，
塔身則有明治製菓的字樣。

博第二會場（今二二八公園）的後方有一個三千坪的樂區，提供觀眾另一個益智、健體、遊戲的去處，稱為「子供の國」（孩童的國度）。這枚紀念章最上方左半的「コドモノクニ」就是子供の國的日文片假名。右半的「台博協贊會主催」，意指由協贊會主辦。

博覽會展館本體由總督府官方主導，民間則成立協贊，把全台各地的民間要人、商賈都囊括入會，單單一台北州就有兩百多位評議員、一百多位地方委員，陣龐大。協贊會負責安排琳琅滿目的餘興、娛樂活動，策畫六十幾場大會，像是滿洲、朝鮮和台灣的野球對大會，還有聽起來很新鮮的台灣針灸按摩師大會、全灣基督教信徒大會、佛教徒大會。本因坊圍棋名人邀賽有兩天活動，第二天的全島大賽就在川端町的紀州（今同安街的古蹟紀州庵）舉行。

紀念章中間的高塔建築是子供の國的入口地標，稱為蓬萊塔」，塔頂放置桃太郎和他的同伴狗、猴子、雉雞像。

子供の國的紀念章在《台灣博覽會誌》正式的紀錄中，沒有最底部的那一排字。會有如此差異，實在少見。個子供の國的工程由日本商人長谷實承包，那一排字側安排了「設計」、「施工」四小字，中間正是「長谷造工務店」。這個做法跟現代建設公司不忍寂寞，會在樓完工時鑲一片石牌，寫上自家名字，異曲同工。＊

コドモノクニ

こどものくに

（孩童的國度）

供の國的入口地標，
為「蓬萊塔」。

供の國園區內，
色大理石軍裝雕像人物
第四任台灣總督兒玉源太郎，
像從一九〇六年就已豎立在新公園裡。

Original Size（原寸）

■↑ H（高さ）95mm×W（広さ）63mm

コドモのクニ

コロムビア
コロムビアレコード
コロムビアレコード
祝台博
大當り
一万圓
附全市聯合大賣出し

南方館

なんぽうかん

灣博覽會主場就在新公園和公會堂（今中山堂），原無意在台灣人住商混合的大稻埕和艋舺設什麼分場，是，台灣商紳用力請求，最後總督同意，就在太平公校和大橋公學校之間的空地，設了「南方館」。因起慢，竣工也晚，最後大會已經開幕，南方館還在趕工尾。不過，會場靠近台灣人密集生活圈，還是人山海。

整個南方館佔地快四千坪，從延平北路門口踏進去，手邊一股濃濃的中國混合南洋的味道衝鼻而來，三個子排過去，幾十坪到百坪之間，有中國式、菲律賓、暹羅式，中國式館樓面仿城門，城門上方有一個大的「囍」字。

中國式館其實是「演藝場」，有許多絕佳表演。台灣華僑林梧村幫忙聘請到中國五大名角之一的小三麻（本名李吉來）。報紙說，他月俸兩千七百圓，「善演公戲」，「每日夜皆滿員」、「此班確為台灣未曾有之劇」。

一踏入南方館分場，右手邊首先就遇見像個大涼亭的民報接待所。台灣的報社中，大報《臺灣日日新報》、召和新報》、《台南新報》，分據北中南，都是日本人創的紙媒。《新民報》是唯一台灣人興辦的報紙。如此的灣人報社，在台灣人主場的大稻埕，設接待中心，是然之舉，也隱含輸人不輸陣的個性。通常，同性質的位，日文會稱作「案內所」，新民報取作「接待所」，微妙顯露不同於日本的臺灣風。

《新民報》於一九二九年創立，起初被限制，只是一個期出刊一回的週報，到一九三二年初，總督府才准許行日報。　＊

稻埕分場南方館入口。

分場正門進去靠右走，
上會遇見像個大涼亭的新民報接待所。

Original Size（原寸）
●↗ D（直径）38mm
■↗ H（高さ）35mm×W（広さ）35mm

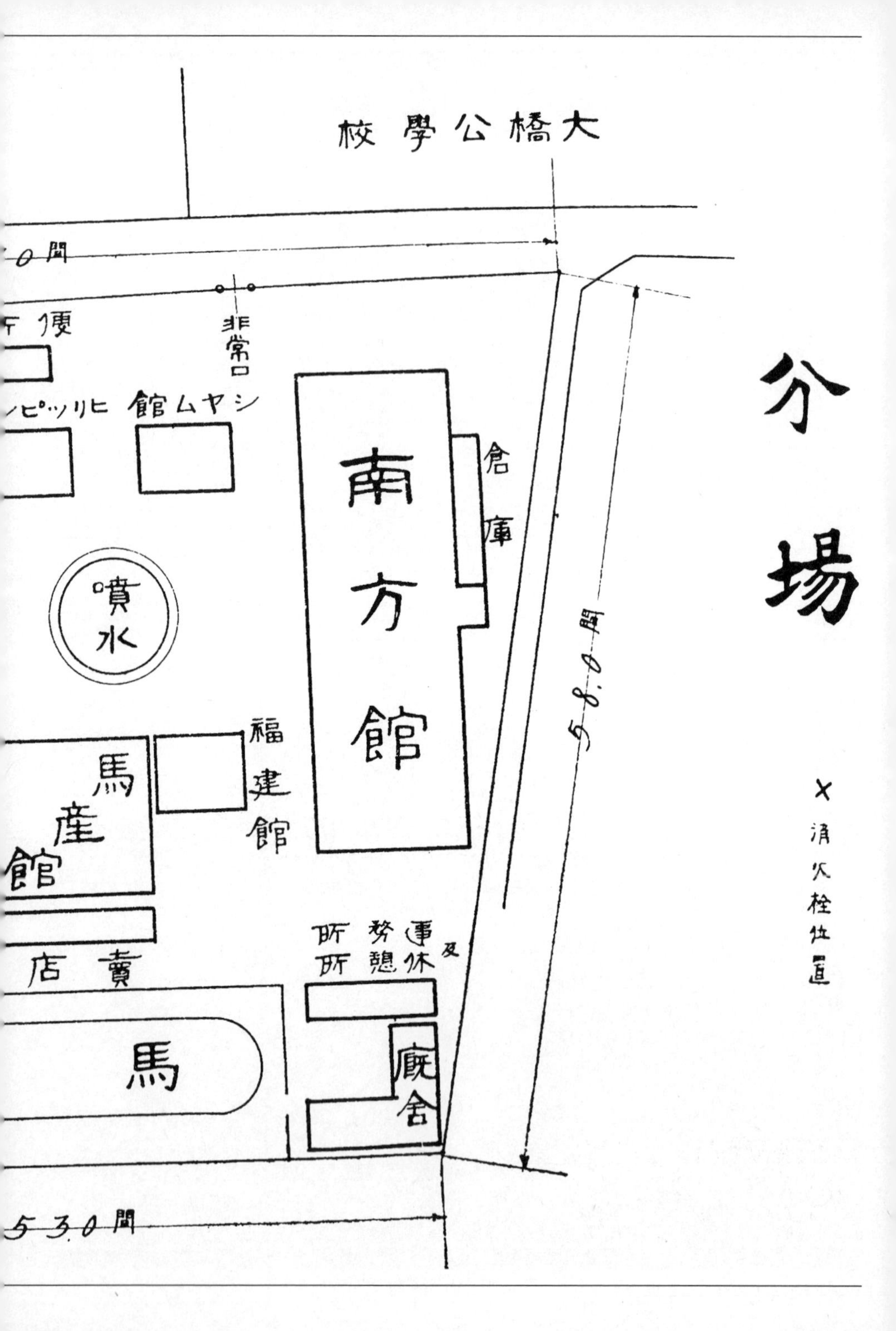

大橋公學校
0間
便
非常口
館
シャム館
ヒリッピン
分場
南方館
倉庫
噴水
58.0間
福建館
馬產館
消火栓位置
事務所
休憩所
賣店
馬
廐舍
53.0間

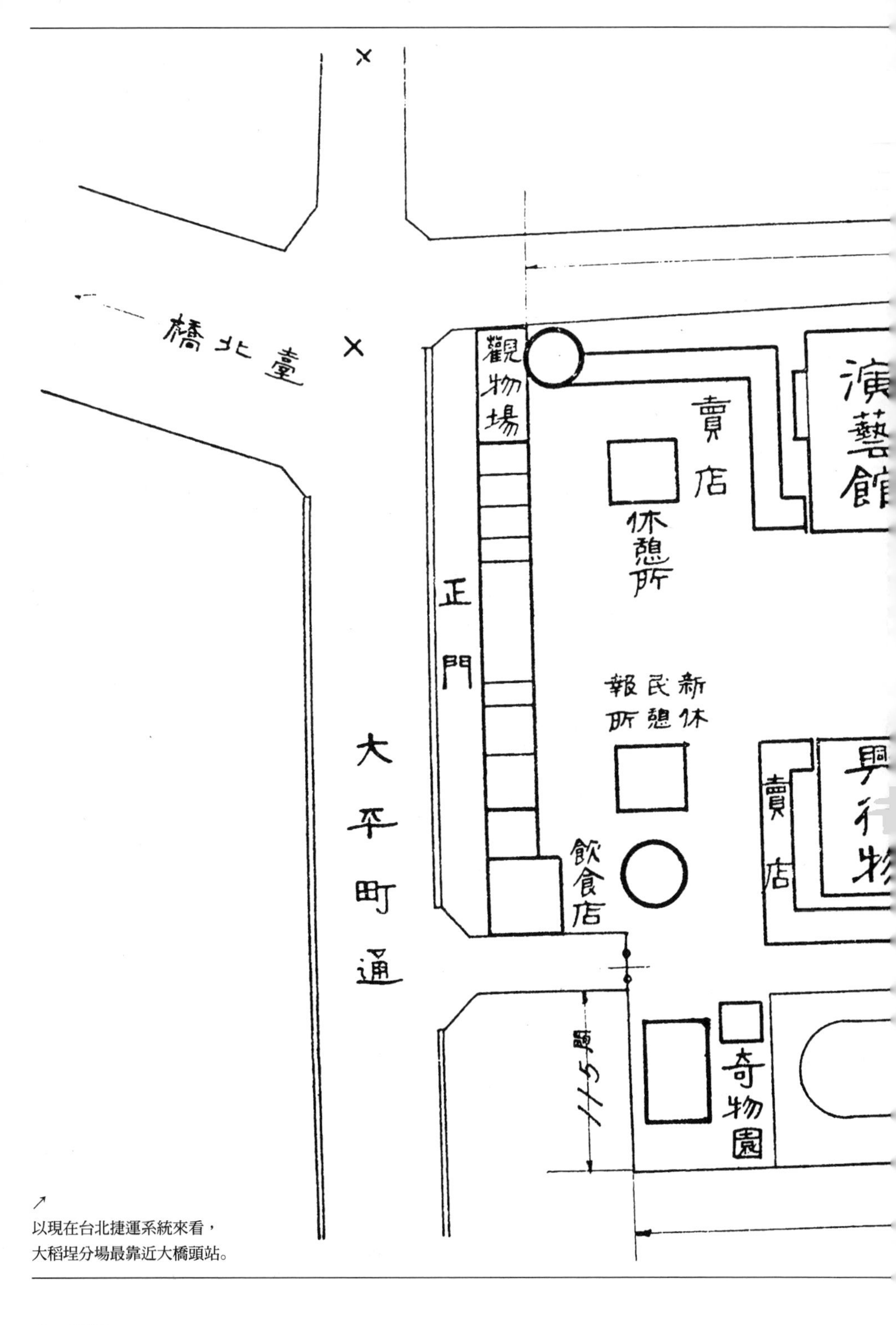

↗
以現在台北捷運系統來看，
大稻埕分場最靠近大橋頭站。

空中美人鯉魚猜參考館

くうちゅうびじんりぎょさいさんこうかん

枚章真古錐，美人魚噴吐著水，像是某種傳說、某個話或某個妖怪漫畫的主角。但到底是什麼，目前沒有案。

紀念章裡的「空中美人鯉魚猜」，在博覽會的正式紀錄，完全沒有相關字句，所謂「參考館」，也只有馬事參館。唯獨能夠確定是在「南方館構內」。「構內」意指築內部或建築物相關設施的區域內。

台灣博覽會在大稻埕設了分場「南方館」，裡頭除了最的展館「南方館」外，還有演藝館、菲律賓館、暹羅、福建館、東鄉館、馬場館、奇物園等，性質駁雜，過，動物倒是一個主題。

馬場館的後方，設有小型馬場，有小型沖繩縣產的馬匹，可供兒童坐騎，但要付費。

神戶一家汽船會社社長白山茂次郎也帶了五隻名犬南方館一星期，其中一隻據說是國際名犬，價值五千，比當時一部美國車還貴。太平町蓋一間二十幾坪的出所也不過花六千圓。《臺衛新報》報導也說，南方館場有一個「畸形動物觀物場」，蒐羅了許多畸形動物，是兩頭一體的烏龜、四隻腳的雞。

或許，「空中美人鯉魚猜」也是其中的珍禽異獸 !?　＊

Original Size（原寸）
■↖ H（高さ）29mm×W（広さ）45mm

福建館

ふっけんかん

福建省是距離台灣最近的中國省分，日本時代，兩邊互動頻繁。除了貿易額大，福州曾是台灣婦女服裝流行時尚的源頭之一。福建不少人來台謀生，做衣服、開餐館。也有台灣人跑去廈門，賣鴉片、走私。

台閩關係親密，總督府邀請省長訪台，福建省自然也沒有缺席台博。十月二十二日清晨六點十分，省長陳儀搭乘軍艦「逸仙號」抵達基隆港。跟隨陳儀的十幾位官員之外，福建方面的賓客還有廈門市長、長樂縣長、閩侯縣長，福州放送局長、福州電氣公司也都來台參與盛會。

南方館分場本來沒有設立「福建館」的計畫，開幕前，有的媒體繪製的分場地圖，福建館的原址畫了一個小小的「休憩所」，有的媒體根本空白。最終，福建館也拖延到十月二十日才開幕。

福建館是三十坪小小的平房，日本人論其外型，說是「台灣式」，就知道台閩之間文化多麼相近了。屋頂橫立一片長長的看板，從右到左寫「福建省特產物紹介所」。裡頭陳列了茶、印材、水晶、象牙、瑪瑙、陶瓷器、雕刻、漆器等一千多種、上萬個閩省物產，現場可以購買。

整個館並沒有文化觀光、風土人情的介紹，純然是商人捉緊機會推銷大賣的「土產中心」。楊雲源在福建館蓋不到一般展館紀念章，反而蓋了一個純文字的辦公印章「福建省參加台灣博覽會徵送產品專員辦事處章」，可想而知。不過，以收藏趣味來說，這種異類有時反而更有意思。

*

Original Size（原寸）
■↖ H（高さ）22mm×W（広さ）22mm

禁煙

↑
中國福建省政府主席陳儀（前左）
也搭船來台參與台博盛會。
↗
福建館是三十坪小小的平房，
屋頂橫立一片長長的看板，
從右到左寫「福建省特產物紹介所」。
→
福建館裡陳列了茶、印材、水晶
等各式各樣的閩省物產，現場可以購買。

草山觀光館

くさやまかんこうかん

個台博會場有四處，除了城內的第一與第二會場，大埕還有一個分場，草山則有一個分館。草山分館設了山觀光館，位於今陽明山中山樓圓形講堂所在地。

字面上看來，這個兩層樓的觀光館好像是為宣傳草觀光而建，事實上，設館的原始目的也在此。但踏去，只見牆上有一格一格的模型裝置，總共二十九，說明了台日二十九個景點，卻沒有半個景點以草山名。台灣景點講了日月潭、阿里山、新高山玉山、蘇的臨海斷崖、鵝鑾鼻、淡水等。日本景點超過一半，島、嚴島、天橋立三大景也在列，還推薦分別在夏、、冬前往遊覽。

草山觀光館的展示相形靜態，沒有積極的動態活動。覽會結束後，主辦單位編纂上千頁的《台灣博覽會》，似乎對草山觀光館的成果頗為遺憾。會誌指出，光館借用非為博覽會而設計的建築物，展品設計受，效果未達預期。＊

Original Size（原寸）
●↑ D（直径）53mm

山分場入口特別架設造型門。

進入草山分場，
兩層樓的草山觀光館為主建物。
↗

↘
館內牆上有一格一格的模型裝置，
展示日台各地知名的觀光名勝，
像是富士山的日出風景、奈良公園的秋色。

台日觀光景點

たいわんとにっぽんかんこうすぽっと

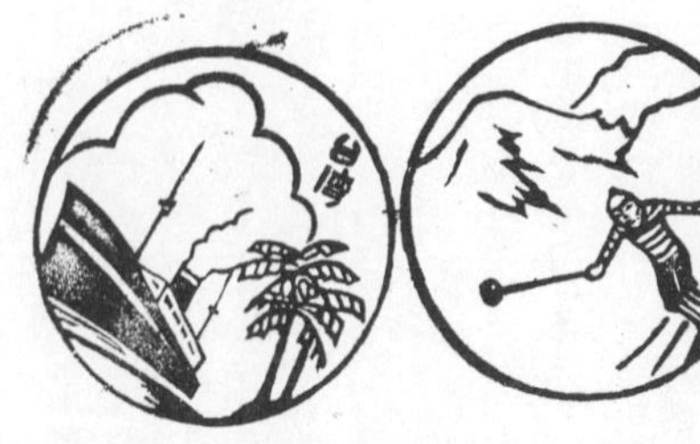

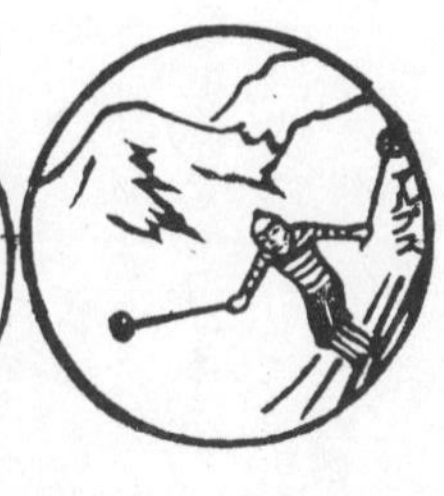

楊雲源的筆記本有兩、三頁，連續性蓋滿了日本和台灣觀光景點的紀念章。草山觀光館本來就是台日旅遊勝地拚場的地方，所以，判斷他可能就在此快速戳蓋了三十幾個名勝章。

其中，有一頁共十九章，格式、大小、墨色都相同。這些小圓藍章中，熊本上有「阿そ山」，意即「阿蘇山」。滑雪章上寫「アルプス」，即日本的阿爾卑斯山脈；十九世紀英國礦石技師上山探查時，稱之「日本阿爾卑斯」，日本人就沿用了。

宮城章並不指宮城縣，而是皇居的宮城。章上的二重橋，一直是皇居的象徵。日本時代，學生或商人到東京旅行，二重橋前拍個團體照幾乎是絕對的必要。

有一個特別的笑臉藏在北海道章。看起來似乎是為宣傳當地的蟹肉罐頭而笑開懷，實則不全然。北海道的原住民「愛奴族」女性有文面的傳統，刺青的範圍在嘴唇四周，入墨之後，因刺青兩端尖而微翹，乍看之下，彷彿笑得嘴角上揚。 *

Original Size（原寸）
●↑↗→ D（直径）28mm

↑ D（直径）50mm

↑ H（高さ）53mm×W（広さ）51mm

↑ D（直径）40mm

↑ H（高さ）64mm×W（広さ）65mm

●↑ D（直径）54mm

■↑ H（高さ）54mm×W（広さ）57mm

■↑ H（高さ）50mm×W（広さ）60mm

Original Size（原寸）

■↑ H（高さ）50mm×W（広さ）52mm

■↑ H（高さ）30mm×W（広さ）66mm

■↑ H（高さ）54mm×W（広さ）60mm

●↑ D（直径）47mm

●↑ D（直径）47mm

■↑ H（高さ）52mm×W（広さ）50mm

基隆駅

きいるんえき

（基隆火車站）

Original Size（原寸）

●↗ D（直径）36mm

●↗ D（直径）45mm

基隆火車站由鐵道部囑託
（建築工務主管）村上彰一所設計。↖

灣博覽會的正式會場都在今天台北市的範圍內，但，全台都被炒動，各地方也大動作配合，趁機迎接大遊客，介紹鄉土文化，賺觀光財。板橋就大開板林家，展示無數書畫珍藏；台中州境內多山，就設山館；兩千多公尺高的阿里山上，開辦高山博物館，展動植物、昆蟲和礦物；高雄設觀光館，推銷蓮霧、荔、芭樂等物產；新竹有競馬場，就辦了三天的賽馬大，結果大約兩萬五千人湧入。

全島台博熱，唯獨基隆吸引到楊雲源，而且讓他不只次遊歷基隆。基隆的台博重頭戲擺在水族館，鬧區義町也整條街慎重裝扮。

這裡呈現的基隆兩章，雖然只有一枚寫「基隆駅」（駅日文的「車站」），另一枚章其實也是基隆火車站的旅紀念章。現在回顧日本時代的基隆火車站，幾乎所有都會驚呼讚嘆，漂亮如童話裡的歐式車站，但是，日時代，新竹、台中、台北的火車站都差不多那麼洋，當時似乎不認為足以代表基隆。能夠讓基隆驕傲，還是入港的巨船和美麗的珊瑚。 ＊

一九〇八年開始營運的基隆火車站。
基隆的台博重頭戲擺在水族館，鬧區義重町整條街也慎重裝扮。
從高處遠眺基隆市中心與基隆港，圖中最醒目的建築物為台灣銀行。

基隆聯合大賣出シ
始政四拾周年記念

臺灣水產株式會社

木工楊雲源的台博紀念章之旅，大阪商船株式會社最具存在感了，台北火車站前有出張所，城內榮町有票務案內所，基隆則有支店，三者他都蓋到章了。

大阪商船宣傳手法也很慷慨，幾艘名輪都有專門的繪葉書（彩色明信片），一套多張，放入微微透明的描圖紙做成的小信封，封面再印上「贈呈」、「台灣博覽會記念」、「大阪商船株式會社」等字樣。楊雲源收藏了其中的蓬萊丸、高千穗丸、瑞穗丸紀念明信片。

船舶公司的重心基地本來就在港口，一九三五年台博當時，大阪商船在基隆火車站前的建築為支店，層級高於台北火車站前的「出張所」。日文「出張」意指出差，出張所往往是規模較小的分店、分公司。

要尋訪日本時代的基隆大阪商船，踏出基隆火車站，往左望，古典的近海郵船的宏偉建築，就在眼前。走過近海塔樓下的大門口，緊鄰的就是大阪商船的基隆支店了。只可惜，近海郵船稍有變貌，仍健康保存至今，大阪商船則在七十幾年前被戰火炸毀了。 *

基隆大阪商船

きいるんおおさかしょうせん

基隆
大阪商船
10.11.25

Original Size（原寸）
●↗ D（直径）38mm

大阪商船基隆支店位在基隆火車站前，緊鄰近海郵船基隆支店。↙

基隆近海郵船

きいるんきんかいゆうせん

戳章日期看來，台博期間，楊雲源來基隆三次。十月、十一月底各一次，十一月二日則蓋到基隆近海郵船社的紀念章。

近海郵船不愧是走四海的船舶公司，印章全英文。章上半部，顯示近海郵船的公司名，KINKAI 即日文「近」的發音，YUSEN 是「郵船」，KAISHA 是「會社」。相對於上半部字體陽刻，圓章的下半採陰刻，英文為基隆」與「台灣」。

日治時期一開始，總督府找來日本郵船和大阪商船跑日之間的航線。一九一五年，日本郵船在今天基隆市西街四號建築「基隆出張所」新樓。一九二三年，日郵船另立「近海郵船」，繼續經營台日航線，此樓就變近海郵船的基隆支店。

近海郵船舊樓戰後被轉為招商局使用，機關更迭，再陽明海運公司所屬建物，目前已被指定為古蹟，蛻變為明海洋文化藝術館，是基隆重要的藝文活動場所。＊

於一九一五年的近海郵船基隆支店，經有著美麗的尖塔與斜頂。

Original Size（原寸）
●↖ D（直径）36mm

基隆水族館

きいるんすいぞくかん

台博前，基隆商界獨步全台，在基隆知名的沙灘「クーレベー濱」(孤拔海濱)興建水族館。這一棟別緻的建築，一九三五年八月完工，館內魚槽放在海面下，直接與海連通，引入海水。據說如此構造，跟當時日本本土的水族館大異其趣。

一般對水族館的想像不外就是展示各種珍貴神奇的魚類，基隆水族館也無不同，但是，基隆水族館另有奇招出擊。

有一個超大水槽，深十二尺，超過一層樓高，寬則有「四間」，大約二十四尺。魚兒在水槽內悠游，還有四、五位日本「海女」一起共舞。日本沿海有一種傳統漁法，漁人從小就學習潛水下海，長時間憋氣，摘採貝類、海藻，女性工作者即稱海女。基隆水族館請三重縣志摩水產學校校長推薦海女人選，來基隆模擬表演採珍珠。

博覽會前三個月，七月報紙漢文版報導了基隆水族館即將開館的消息，標題強調「特聘海女裸體潛水」，新聞本文則說，水槽「前面全部玻璃。由玻璃可透視海女。裸體在水中游泳潛水。如觀客投銅錢。或銀錢於水中。彼海女即刻潛入，一一拾起。向客道謝。此種設施。為台灣所未曾有者。」

真到了博覽會期間，海女是否真如此與觀客互動，不得而知。不過，基隆水族館是日本時代很新鮮的建設，又位在海景迷人的沙灘，於是，台博五十天，便吸引了八萬八千多人次進場欣賞。 ＊

Original Size(原寸)
●↗ D(直径)51mm

ヽ
於台博前夕完工的基隆水族館。

ー
透過水族館內的魚槽，可近距離欣賞海裡優游的魚群。

水族館

お天気雪文

おてんきしゃぼん

（天氣香皂）

看這個紀念章之前，必須對讀者鄭重宣告，絕非本書編
輯印刷錯誤，更不是楊雲源的失誤。若他故意要蓋反
章，老天爺也幫不了他。原章就是一個反骨的、頑皮的
創意。

章內有「祝台博」三個字，顯然特意為台博應援、當
啦啦隊而刻了此章。不過，並非某家店的店章，而是為
推銷一個東京製的「雪文」（香皂）而刻。香皂的商品名
叫「お天氣」，如果翻成現代中文，就是「天氣香皂」。＊

Original Size（原寸）

■↑ H（高さ）57mm×W（広さ）112mm

天狗堂
てんぐどう

一九三五年的職業地圖上，西門市場（今古蹟西門紅樓）後方，沿著今天的內江街走，過了西寧南路，還沒到昆明街前，右手邊有一家「天狗堂」，是否就是紀念章上的「今成天狗堂」印鋪，無法百分之百確定。但是，回到楊雲源的蓋章筆記本，天狗堂戳章的下方，緊貼著西門市場的紀念章，兩者在同一頁上，因此，兩個天狗堂實為同一家店的可能性很高。 *

Original Size（原寸）
●↗ D（直径）45mm
●↖ D（直径）45mm

小野
おの

猜測是「小野」印鋪。

日本時代，從北門邊往北，越過鐵軌，就有建築壯麗的鐵道部。周邊為泉町。泉町一丁目就有一家小野印鋪，店主叫小野幸三。 *

Original Size（原寸）
■↖ H（高さ）63mm×W（広さ）70mm

新京美人

しんきょうびじん

「新京美人」比一般紀念章大，楊雲源筆記本的單頁都容不下。這種異常尺寸或許可以理解，因為「新京」即滿洲國的首都，也就是現在的長春。

紀念章上的兩位美人，左邊才是滿洲仕女，穿著旗袍。旗袍靠腳踝的下襬有波浪剪裁，很容易讓人連想到滿洲國皇帝溥儀的秋鴻皇后婉容。婉容有一張照片，旗袍激似這種形式，紀念章的參考模特兒極可能就是她。

日本鐘淵紡績株式會社生產各類布料，其中絹布名為「京美人」，商標圖案的樣式與概念非常近似「新京美人」章，之間的關聯可待追查。　＊

滿洲國皇帝溥儀的秋鴻皇后婉容。↗
「京美人」為名的布料商標圖案。→

Original Size（原寸）
↘ H（高さ）102mm×W（広さ）152mm

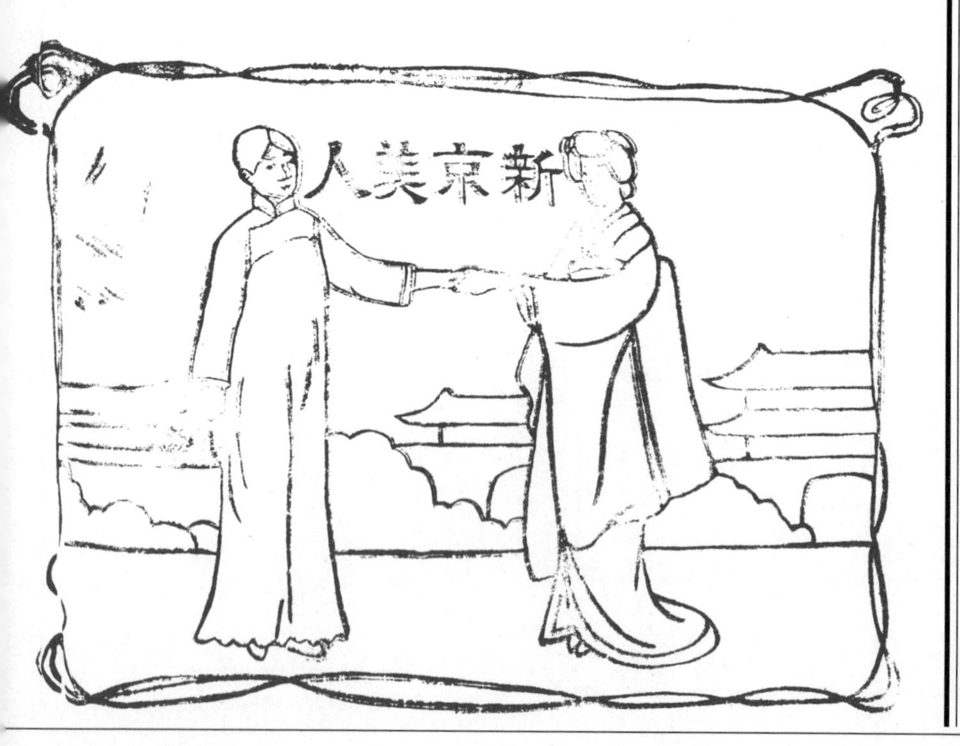

忠勇銘酒

ちゅうゆうめいしゅ

「忠勇」是神戶地區製造的清酒，日本時代，由台北本町的桑田商店代理進口販售。

神戶的灘區是日本有名的酒鄉，集結了許多知名酒廠，像「白鶴」、「菊正宗」、「櫻正宗」、「澤之鶴」。忠勇也是其中一員，不過，後來被白鶴併購。 *

Original Size（原寸）
●↑ D（直径）48mm

野崎小唄

のざきこうた

一九三四年，三十六歲的東海林太郎唱紅了〈赤城の子守唄〉，一九三五年，新曲〈野崎小唄〉接棒發行。廣告上會說，此曲是「情緒纏綿の新流行歌」。戰後，日本國民歌后美空雲雀也重唱過。

紀念章上的「ポリドール」就是「Polydor」（寶麗多）唱片公司，一九二四年於英國創立。三年後，日本人取得在日製造權，發行許多本土歌曲。 *

Original Size（原寸）
■↖ H（高さ）51mm×W（広さ）45mm

珠線

絲線的店 !?

「脫吸」？辭典找不到的詞彙。

＊

Original Size（原寸）
■↖ H（高さ）54mm×W（広さ）74mm

杉山式冷凍機

すぎやましきれいとうき

台北火車站過了北門左轉，中華路右側就是末廣町。

可能是末廣町內有一家商店，專營冷凍機等機器，在博會場，當場操作讓觀眾了解。

＊

Original Size（原寸）
■↖ H（高さ）70mm×W（広さ）75mm

七福神

しちふくじん

大黑、惠比壽、布袋、壽老人等是日本的七福神。

大黑章的左側有三個逗點一般的圖案，是日本家紋之一，稱「左三巴」。 ＊

Original Size（原寸）

■↑ H（高さ）42mm×W（広さ）40mm

■↗ H（高さ）53mm×W（広さ）30mm

■↑ H（高さ）42mm×W（広さ）30mm

■↗ H（高さ）52mm×W（広さ）30mm

■↑ H（高さ）38mm×W（広さ）43mm

■↗ H（高さ）50mm×W（広さ）32mm

■↗ H（高さ）48mm×W（広さ）38mm

タイヘイレコード

たいへいれこーど

（太平唱片）

ｱイヘイレコード」即太平蓄音器株式會社，是一家日
唱片公司。紀念章左上的圖案，貝殼上有星印，是太
唱片的商標。 ＊

Original Size（原寸）
●↖ D（直径）43mm

DURANT MOTORS

でゅらんと もーたー

（杜蘭特汽車公司）

圓章內有一枚星星，裡頭就有星星的英文 STAR。這
美國汽車 STAR 的標誌。橢圓上方的英文 DURANT
OTORS，即杜蘭特汽車公司。創辦人威廉・杜蘭特
William Durant）是個企業經營的天才，創辦了通用集
，也推出著名的雪佛蘭汽車。日本時代，雪佛蘭在台
就比福特的銷售量高。二〇年代初期，杜蘭特再創立
蘭特汽車，STAR 就屬旗下的一支。當時台灣也有進
，代理商「台北自動車株式會社」的社長高地龍是台北
布商，二〇年代也購車經營台北市多條公車路線，直
一九三〇年台北市役所（市政府）把巴士納為公營才被
購。 ＊

Original Size（原寸）
■↖ H（高さ）20mm×W（広さ）13mm

RENGO
れんごー

日文的瓦愣紙為「段ボール」，由井上貞治郎命名，他也是日本最早苦心投入瓦愣紙研發製造的企業家。他先創設「三盛舍」，一九二〇年，併購其他工廠，成立造紙大廠「聯合紙器」株式會社，會社英文名就叫「RENGO」。三〇年代，往罐頭、啤酒、陶器等領域擴張，在台灣、朝鮮、中國都設有子公司。

這個充滿雄心的地球紀念章，或許就出自聯合紙器會社。＊

Original Size（原寸）
●↑ D（直径）70mm

NISSHIN
にっしん

NISSHIN 可能是太平町的洋服店「日信」嗎？

NISSHIN 也可能是「日進」？台北有一家傘具專門店就叫日進。或者，NISSHIN 是「日清」、是「日新」？＊

Original Size（原寸）
●↖ D（直径）58mm

ベルベット石鹼
（天鵝絨香皂）
べるべっとせっけん

在知名的跨國公司「聯合利華」，前身之一為英國的
ever Brothers 公司，後者又是日本的第一個外資企業。
個世紀一〇年代，Lever Brothers 到日本設立工場，
產香皂。後來賣給日本公司，一九二六年，「ベルベッ
石鹼」會社就誕生了。
ベルベット石鹼的英文名字叫「Velvet Soap」，中文
為「天鵝絨香皂」。在二〇、三〇年代，這款香皂緊追
花王、ミツワ石鹼之後，為三大香皂品牌之一。 *

Original Size（原寸）
■↖ H（高さ）27mm×W（広さ）52mm

台湾種蛇參考館
たいわんしゅへびさんこうかん

考館不知道位在何方。
日本時代，台灣蛇危害甚大。以博覽會同時的一九三
年的台中州來說，地理涵蓋了今天的中彰投。一項名
「毒蛇咬傷」的衛生統計，列了六種毒蛇，青竹絲、龜
花、雨傘節、「飯匙倩」（眼鏡蛇）、百步蛇、鎖蛇，外
一項其他蛇類。一年之間，單單中彰投就高達二十九
不幸被蛇咬傷致死。 *

Original Size（原寸）
■↖ H（高さ）24mm×W（広さ）24mm

大山
たいざん

男孩身上有「大山」兩字。　＊

Original Size（原寸）
■↖ H（高さ）55mm×W（広さ）18mm

水手帽男孩

原本是船艦上的水手穿的西方服裝、帽子，日本時代，水手服的特殊衣領被擷取為高等女學校學生制服的特徵，水手服也加入男童服裝的選項。　＊

Original Size（原寸）
■↖ H（高さ）38mm×W（広さ）30mm

紅象

動物是商標的常客。

把一隻小紅象關在圓圈內的朱印，可能是某個紡織公司布料或某個藥品的商標 !?　＊

Original Size（原寸）
●↖ D（直径）34mm

·般參考資料

灣日日新報》

灣新民報》

灣總督府報》

久，《臺北市六十餘町案內》，1928。

光雄編纂，《始政四十周年記念臺灣博覽會誌》，1939。

市勸業課編纂，《臺北商工人名錄》，1936。

新民報社，《臺灣人士鑑》。

總督府交通局遞信部編纂，《電話帖：台北州下各局》，1936。

章參考資料

)誰蓋了那些章？

北家庭會會則並會員住所錄》

正孝編，《戰前の風景スタンプ集》，日本郵趣。

英（口述），陳柔縉（執筆），《宮前町九十番地》，時報，2006。

age Dancer https://vintagedancer.com/vintage/history-vintage-mens-socks/

)紀念章的日本時代

宇，《觀念、分類與文類源流：日治時期的臺灣現代散文》，秀威資訊，2016。

社 http://www.shinchosha.co.jp/railmap/blog/sden/2014/06/12.html

)木匠的「章之路線」

新新報》

灣商報》

皇爺出巡：1879～2000》，花木蘭文化，2013。

灣大觀》，臺南新報社，1935。

灣婦人界》

興日本商標總覽》，大阪發明協會，1937。

武司，《臺灣生蕃種族寫真帖》，成田寫真製版所，1912。

赫若，《呂赫若日記》，國家臺灣文學館，2004。

白，《真與美》，前衛，1995。

間物化妝品業界年鑑》，東京小間物化粧品商報社，1934。

茹、王泰升等，《代筆書、商人風：百歲人瑞孫江淮先生訪問紀錄》，遠流，2008。

勝，《劉盛烈回憶錄》，前衛，2005。

堂，《灌園先生日記》，中研院近代史研究所，2000。

縉，《台灣西方文明初體驗》，麥田，2005。

縉，《廣告表示》，麥田，2015。

德（口述），吳明德、蕭淑貞撰述，《臺灣製墨藝師陳嘉德》，新北市文化局，2014。

彥，《台灣的老戲院》，遠足，2006。

市港公學校編纂，《本校學校衛生の實際》，1940。

と運輸》，臺灣交通問題調查研究會。

藝とキネマ》，臺灣演藝娛樂社。

ぶ銘仙館 http://www.meisenkan.com

郵船 http://www.nyk.com/yusen/kouseki/200106/index.htm

e New York Times》http://www.nytimes.com/2004/01/18/national/where-they-really-knew-popeye-and-co.html

go Co., Ltd. http://www.rengo.co.jp/index.html

Tube https://www.youtube.com/watch?v=FBNZThkkBnk

參考資料

國立台灣圖書館藏書刊：

林公學校開校四十周年記念誌》：276

台信州人》：156、157

北市區改築記念》：89 上

北市動物園寫真帖》：271 上下

北州要覽》：284

北商工人名錄》：111 下

北商工協會報》（廣告）：237、264 右

北寫真帖》：53 下、73 下

灣之產業組合》：45 下左

灣土地調查紀念會記事》：165 上下

灣日日新報》（含廣告）：33、36、45 下右、58、59、60、65 左上、65 左下、78、80、94、116、133、136、140、236 下、302、304、375

《臺灣日日寫真畫報》：53 上、57 上、64 上、77 上、127、134、171

《臺灣自動車界》：45 上、260 上

《臺灣建築會誌》：67 下右、167、315 上、320 上、331 下

《臺灣時報》：62

《臺灣產業大觀》：369

《專賣通信》：274 上

《臺灣婦人界》：111 上、170 下、293

《臺灣教育》：70 中、93、267 下、274 下、277 上下

《臺灣教育沿革誌》：275

《臺灣統治と其功勞者》：63

《臺灣新民報》（廣告）：145、200、206、220

《臺灣新聞總覽》：120 下

《臺灣遞信協會雜誌》：177

《臺灣鐵道史》：364 左右

《臺灣鐵道旅行案內》（1935 年版）：219 左、282

《島都評判記》：43、211、245 左

《基隆市廳舍落成記念展覽會誌》：113 下、114

《船越倉吉翁小傳》：89 下、164

《御鎮座三十周年記念台灣神社寫真帖》：269 上

《語苑》：223

《辜顯榮翁傳》：267 上

《樂園台灣の姿》：295 下

《寫真俱樂部》：73 上

《鶴駕奉迎之記》：42

●國家圖書館藏繪葉書：64 下、98、106、175、197、216、288、294、307、310、313 全

●陳柔縉藏書：

《台灣紹介最新寫真集》：57 下、67 上、82、101、148 下左、148 下右、192、236 上、248

《台北市京町改築記念寫真帖》：96、102、125、129、131、148 上、153、155、160

《臺灣鐵道旅行案內》（1938 年版）：67 下左、113 上、149 下左、204、233 上下、286、315 下

《守屋善兵衛追悼錄》：119 上下

《台北商業學校第十二回卒業記念寫真帳》：120 上

《日本地理大系臺灣篇》：81、149 上、170 上、300、365 下、367

《日本地理風俗大系第十五卷》：247、260、278、295 上

《始政四十周年記念臺灣博覽會誌》：34、46、61、84、95、225、238、244 全、262 上下、319 上下、322 上下、324 上下、326、328 上下、329 上下、331 上、333、336、339 上下、341 上下、343、347 上下、349 上下、351 上下、352、356 上下、357、358、359 全、365 上、366、371 上下

《新滿洲國寫真大觀》：374 上

《新興日本商標總覽》：70 上下、71、374 下

《臺灣遊記》：303

●中央研究院人社中心 GIS 專題中心：38、40～41、54～55、90～91、122～123、162～163、172～173、188、194～195、250～251、264 左、316 ～317

●李鎮源家族提供：77 下、132、185 上下、245 右

●夏門攝影企劃研究室提供：190、201 上下、208

●黃隆正提供：

《台北市政二十年史》：214、269 中、269 下、273

●廖願家族提供：68

●楊穎川提供：10、12、13、14、18-23、26～29、31、35、47、105、108、137、138、168 全、219 右、226、227、301、309、320 下左、320 下右、323、344 上下、345、346

●陳柔縉提供：146

圖片來源

一個木匠和他的台湾博覽會

作者：陳柔縉
責任編輯：林如峰
國際版權：吳玲緯、蔡傳宜
行銷：艾青荷、黃家瑜、蘇莞婷
業務：李再星、陳美燕、杻幸君
主編：林怡君
編輯總監：劉麗真
總經理：陳逸瑛
發行人：涂玉雲
出版：麥田出版
一〇四八三台北市民生東路二段一四一號五樓
電話：〇二—二五〇〇—七六九六
傳真：〇二—二五〇〇—一九六七
http://www.ryefield.com.tw

發行：英屬蓋曼群島商家庭傳媒股份有限公司城邦分公司
一〇四八三台北市民生東路二段一四一號十一樓
http://www.cite.com.tw
客服專線：〇二—二五〇〇—七七一八
〇二—二五〇〇—七七一九
二十四小時傳真專線：〇二—二五〇〇—一九九〇
〇二—二五〇〇—一九九一
服務時間：週一至週五 〇九：三〇—一二：〇〇
一三：三〇—一七：〇〇
劃撥帳號：一九八六三八一三 戶名：書虫股份有限公司
讀者服務信箱：service@readingclub.com.tw

香港灣仔駱克道一九三號東超商業中心一樓
電話：+八五二—二五〇八—六二三一
傳真：+八五二—二五七八—九三三七
hkcite@biznetvigator.com

馬新發行所：城邦（馬新）出版集團
Cite(M) Sdn. Bhd. (458372U)
41, Jalan Radin Anum,
Bandar Baru Sri Petaling,
57000 Kuala Lumpur, Malaysia.
電話：+六〇三—九〇五七—八八二二
傳真：+六〇三—九〇五七—六六二二
cite@cite.com.my

印刷：漾格科技股份有限公司
初版一刷：二〇一八年三月
國際標準書號：九七八—九八六—三四四—五〇七—四
定價：新台幣八五〇元整 Printed in Taiwan.

國家圖書館出版品預行編目
Cataloging in Publication, CIP

一個木匠和他的台灣博覽會
陳柔縉 著
—初版．—臺北市：麥田出版：
家庭傳媒城邦分公司發行，2018.3
　面；　公分
ISBN 978-986-344-507-4（精裝）

1. 文化史　2. 臺灣文化　3. 博覽會

733.409　106018160

設計：王志弘
Design by wangzhihong.com

陳柔縉｜作者｜台灣大學法律系司法組畢業，曾任記者，現為專欄作家、台灣大學新聞研究所兼任副教授。
主要著作有《總統的親戚》、《台灣西方文明初體驗》（榮獲聯合報非文學類十大好書、新聞局最佳人文圖書金鼎獎）、《宮前町九十番地》（榮獲中國時報開卷中文創作類十大好書）、《人人身上都是一個時代》（獲頒新聞局非文學類圖書金鼎獎）、《台灣幸福百事：你想不到的第一次》、《舊日時光》、《榮町少年走天下：羅福全回憶錄》、《廣告表示：______。老牌子．時髦貨．推銷術，從日本時代廣告看見台灣的摩登生活》等。